和の建築図案集

Design Parts Collection
In Japanese Traditional Style Architecture

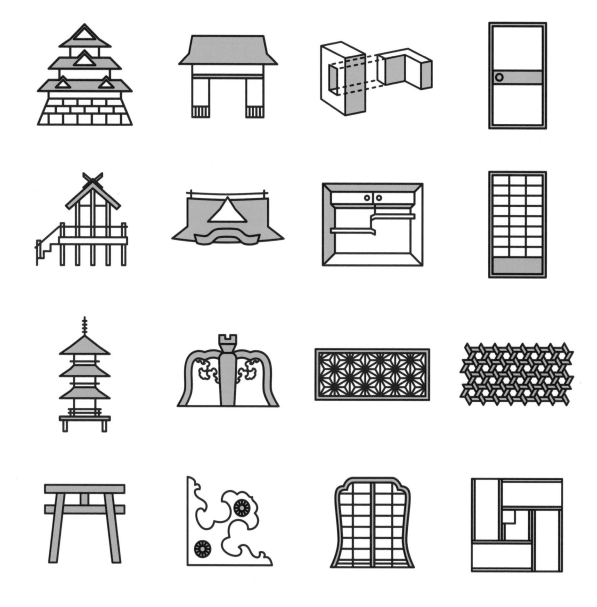

日本の建築には木造に特有の多くの細部があり、そこには独特のとりどり
の形がつかわれてきた。中国由来のもの、ようするに東アジアに広くあった
ものから、日本で開発されたものまで、あげてゆけばきりがない。木が材料
ゆえの形、そうでなければ建築が成り立たないギリギリの合理性に従った
形もあれば、それから一歩踏み出して形遊びへと展開したものもある。
さらに、遊びが遊びを誘発していったものも数多い。本書には、ありとあら
ゆる形が収められていて、いたるところに楽しい形が散りばめられている。
建築の設計に限らず、あらゆるデザインにヒントを与えてくれるはずである。

東京大学教授　工学博士

藤井　恵介

CONTENTS

城

shiro

松本城
matsumotojou

姫路城
himejijou

犬山城 天守
inuyamajou,tenshu

松本城 月見櫓
matsumotojou,tsukimiyagura

備中松山城 天守
bicchumatsuyamajou, tenshu

高知城 天守
kouchijou,tenshu

姫路城 太鼓櫓
himejijou,taikoyagura

大阪城 乾櫓
oosakajou,inuiyagura

城郭建築の細部名称
joukakukenchiku-no-saibu-meishou

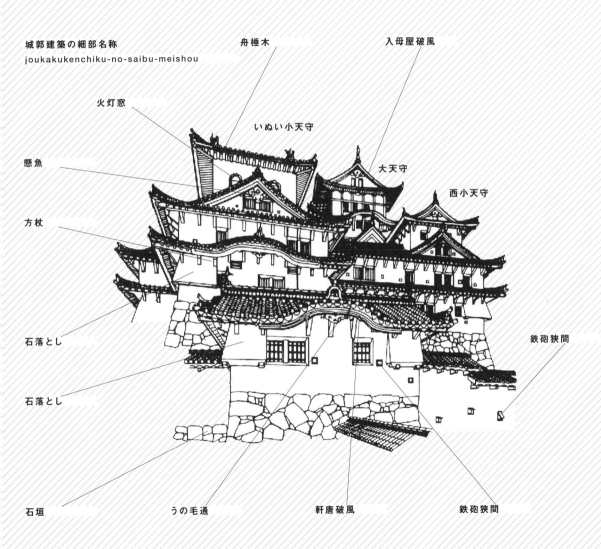

舟棟木

入母屋破風

火灯窓

いぬい小天守

大天守

西小天守

懸魚

方杖

石落とし

石落とし

鉄砲狭間

石垣

うの毛通

軒唐破風

鉄砲狭間

姫路城 配置
himejijou,haichi

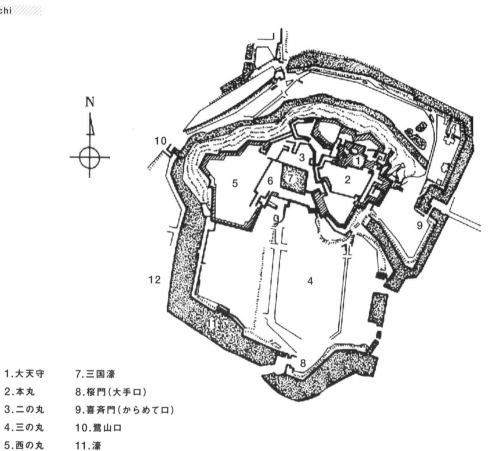

N

1.大天守	7.三国濠
2.本丸	8.桜門（大手口）
3.二の丸	9.喜斉門（からめて口）
4.三の丸	10.鷺山口
5.西の丸	11.濠
6.菱の門	12.石垣

社寺／本殿

shaji ／ honden

神明造り一間社
shinmeizukuri-ikkensha//////
側面姿図//////

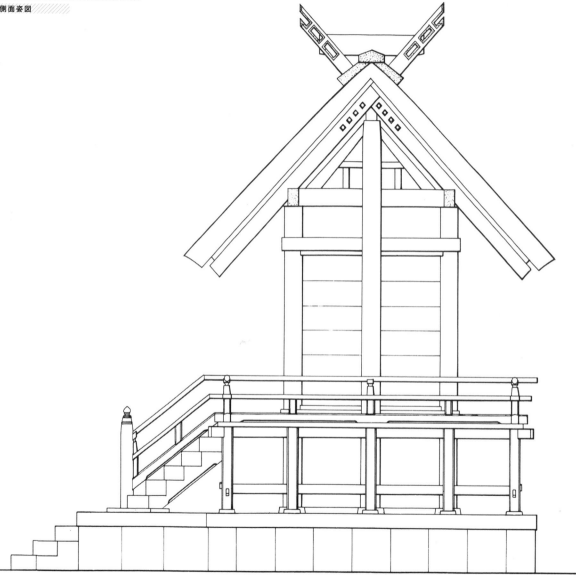

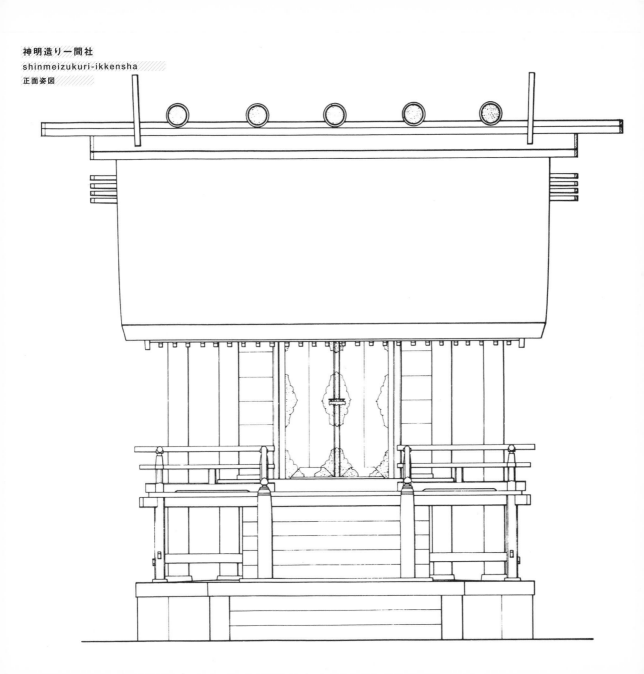

神明造り一間社
shinmeizukuri-ikkensha
正面姿図

大社造り
taishazukuri
正面姿図

側面姿図

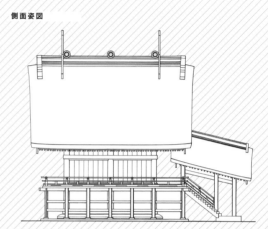

住吉造り
sumiyoshizukuri
正面姿図

側面姿図

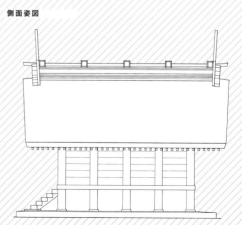

八幡造り三間社
hachimanzukuri-sangensha
側面姿図 正面姿図

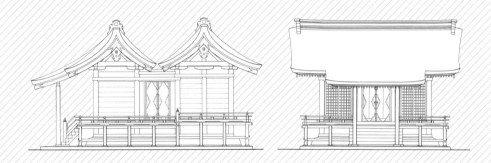

春日造り
kasugazukuri
正面姿図 側面姿図

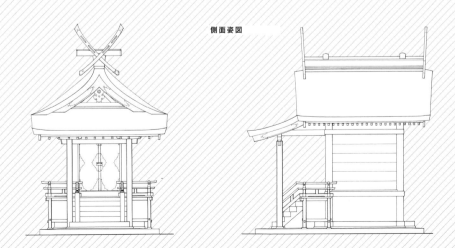

流れ造り一間社
nagarezukuri-ikkensha
側面姿図

流れ造り一間社
nagarezukuri-ikkensha
正面姿図

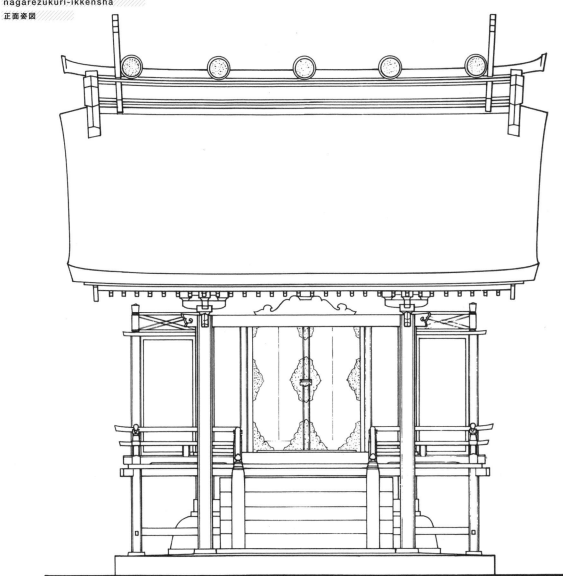

切妻造り三間社
kirizumazukuri-sangensha ///////
側面姿図 ///////   **正面姿図** ///////

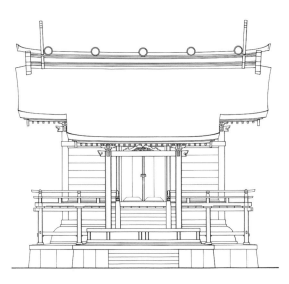

入母屋造り平入三間社
irimoyazukuri-hirairisangensha
側面姿図

正面姿図

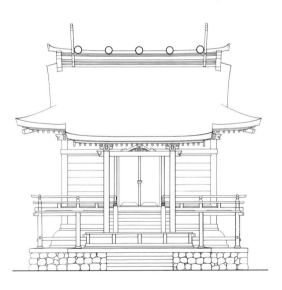

入母屋造り妻入三間社
irimoyazukuri-tsumairisangensha

正面姿図

側面姿図

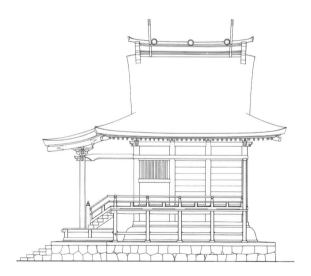

各部名称
kakubu-meishou

神明造り
shinmeizukuri

皇大神宮内宮正殿
koutaijinguunaikuuseiden

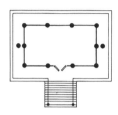

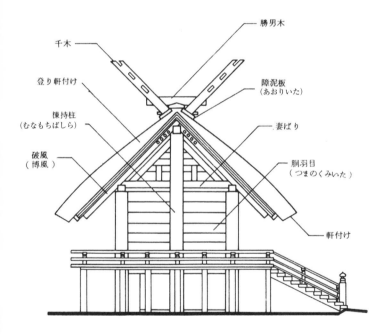

千木

勝男木

登り軒付け

障泥板
（あおりいた）

棟持柱
（むなもちばしら）

妻ばり

破風
（博風）

胴羽目
（つまのくみいた）

軒付け

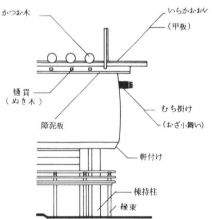

かつお木

いらかおおい
（甲板）

樋貫
（ぬき木）

むち掛け
（おざ小舞い）

障泥板

軒付け

棟持柱

縁束

大社造り
taishazukuri

出雲大社本殿
izumotaishahonden

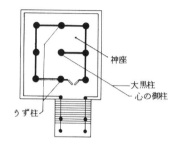

神座

大黒柱

心の御柱

うず柱

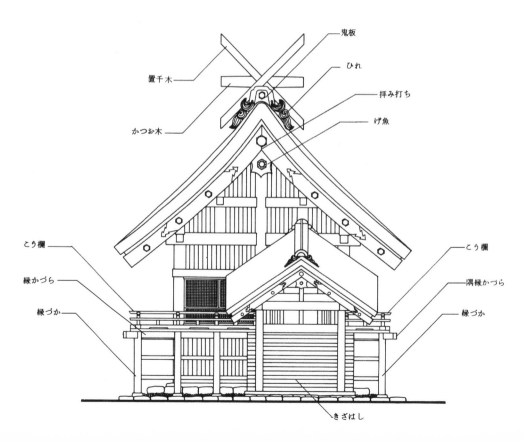

鬼板

置千木

ひれ

拝み打ち

かつお木

げ魚

こう欄

こう欄

縁かづら

隅縁かづら

縁づか

縁づか

きざはし

春日造り
kasugazukuri

春日大社本殿
kasugataishahonden

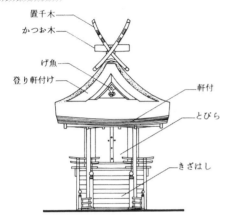

置千木
かつお木
げ魚
登り軒付け
軒付
とびら
きざはし

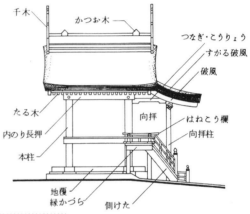

千木
かつお木
つなぎ・こうりょう
すがる破風
破風
たる木
向拝
はねこう欄
内のり長押
本柱
向拝柱
地覆
縁かづら
側けた

住吉造り
sumiyoshizukuri

住吉大社本殿
sumiyoshitaishahonden

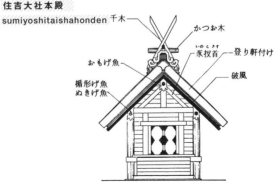

千木
かつお木
おもげ魚
豕扠首
いのこさす
登り軒付け
楯形げ魚
ぬきげ魚
破風

八幡造り
hachimanzukuri

宇佐神宮本殿 拝殿
usajinguuhonden, haiden

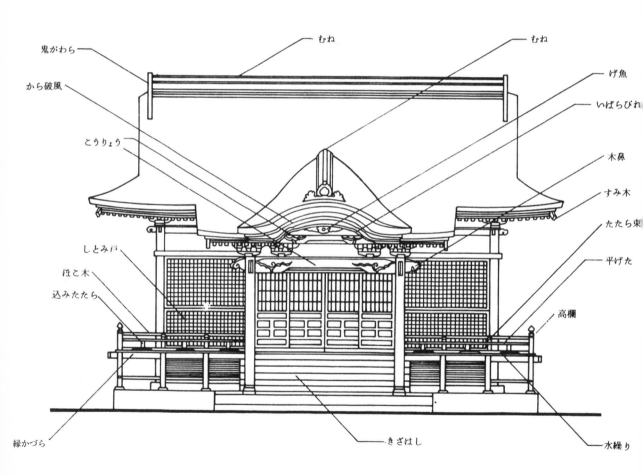

鬼がわら

から破風

こうりょう

しとみ戸

ほこ木

込みたたら

縁かづら

むね

むね

げ魚

いばらびれ

木鼻

すみ木

たたら束

平げた

高欄

きざはし

水繰り

社寺／塔

shaji ／ tou

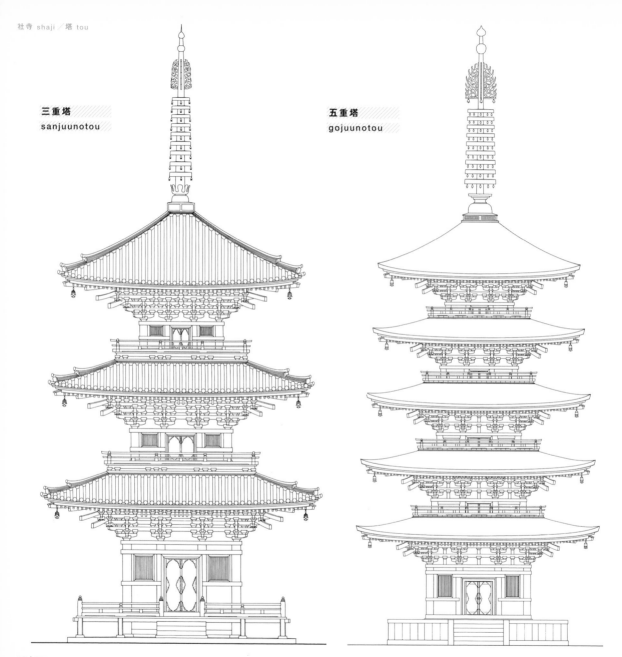

三重塔
sanjuunotou

五重塔
gojuunotou

七重塔
shichijuunotou

東大寺
toudaiji

推定復元
奈良時代
suiteifukugen
narajidai

多宝塔
tahoutou

石山寺
ishiyamadera

鎌倉時代
kamakurajidai

三重塔
sanjuunotou

興福寺
kouhukuji

鎌倉時代
kamakurajidai

十三重塔
juusanjuunotou

談山神社
tanzanjinja

室町時代
muromachijidai

瑜祇塔
yugitou

高野山竜光院
kouyasanryuukouin

昭和復元
shouwa-hukugen

多宝塔（大塔）
tahoutou(daitou)

根来寺
negoroji

室町時代
muromachijidai

三重塔（初重もこし付）
sanjuunotou (shojuumokoshitsuki)

安楽寺 八角塔
anrakuji,hakkakutou

室町時代
muromachijidai

五重塔
gojuunotou

法隆寺
houryuuji

奈良時代前期
narajidai-zenki

社寺／鳥居

shaji ／ torii

三輪鳥居
miwatorii

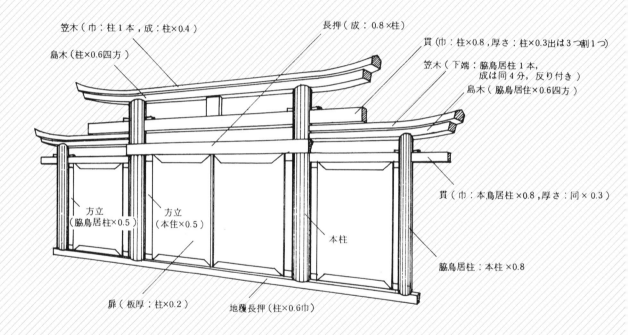

笠木（巾：柱1本，成：柱×0.4）

島木（柱×0.6四方）

長押（成：0.8×柱）

貫（巾：柱×0.8，厚さ：柱×0.3出は3つ割1つ）

笠木（下端：脇鳥居柱1本，
成は同4分，反り付き）

島木（脇鳥居住×0.6四方）

貫（巾：本鳥居柱×0.8，厚さ：同×0.3）

方立
（脇鳥居柱×0.5）

方立
（本住×0.5）

本柱

脇鳥居柱：本柱×0.8

扉（板厚：柱×0.2）

地覆長押（柱×0.6巾）

鳥居
torii

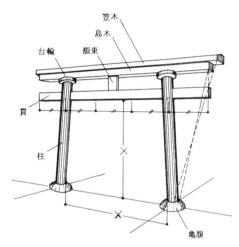

笠木
島木
台輪
額束
貫
柱
亀腹

山王鳥居（合掌鳥居・総合鳥居）
sannoutorii (gasshoutorii, sougoutorii)

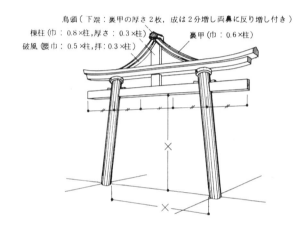

鳥頭（下端：裏甲の厚さ2枚，成は2分増し両鼻に反り増し付き）
棟柱（巾：0.8×柱，厚さ：0.3×柱）
裏甲（巾：0.6×柱）
破風（腰巾：0.5×柱，拝：0.3×柱）

扉付神明鳥居
tobiratsukishinmeitorii

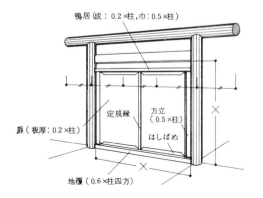

鴨居（成：0.2×柱，巾：0.5×柱）
扉（板厚：0.2×柱）
定規縁
方立（0.5×柱）
はしばめ
地覆（0.6×柱四方）

両部鳥居（四脚鳥居・袖鳥居・権現鳥居・枠鳥居）
ryoubutorii (shikyakutorii, sodetorii, gongentorii, wakutorii)

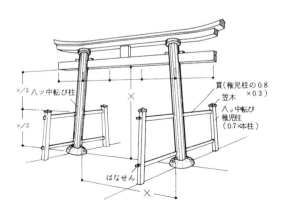

×/2 八ッ中転び柱
×/2
貫（稚児柱の0.8
×0.3）
笠木
八ッ中転び
稚児柱
（0.7×本柱）
はなせん

明神鳥居
myoujintorii

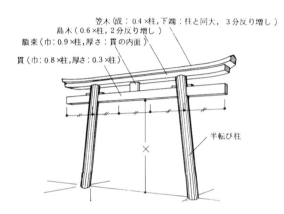

笠木（成：0.4×柱,下端：柱と同大，3分反り増し）
島木（0.6×柱,2分反り増し）
額束（巾：0.9×柱,厚さ：貫の内面）
貫（巾：0.8×柱,厚さ：0.3×柱）
半転び柱

稲荷鳥居
inaritorii

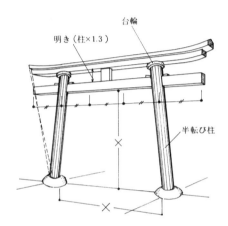

台輪
明き（柱×1.3）
半転び柱

中山鳥居
nakayamatorii

半転び柱

住吉鳥居
sumiyoshitorii

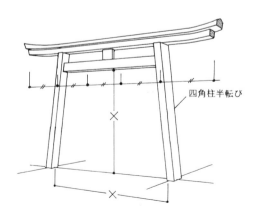

四角柱半転び

唐破風鳥居
karahahutorii

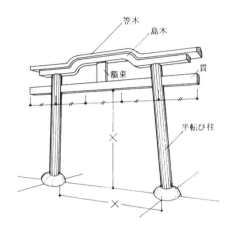

笠木
島木
額束
貫
半転び柱

肥前鳥居
hizentorii

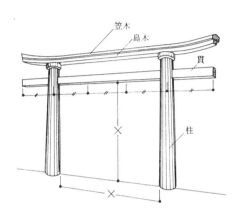

笠木
島木
貫
柱

神明鳥居（内宮）
shinmeitorii (naikuu)

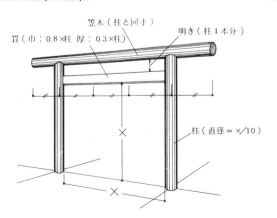

笠木（柱と同寸）
貫（巾：0.8×柱 厚：0.3×柱）
明き（柱1本分）
柱（直径＝×／10）

黒木鳥居
kurokitorii

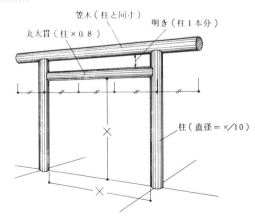

笠木（柱と同寸）
丸太貫（柱×0.8）
明き（柱1本分）
柱（直径＝×／10）

鹿島鳥居
kashimatorii

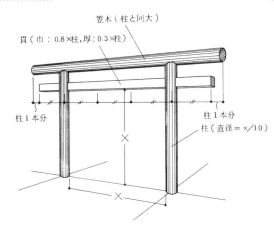

笠木（柱と同大）

貫（巾：0.8×柱，厚：0.3×柱）

柱1本分

柱1本分

柱（直径＝×／10）

神明鳥居（外宮）
shinmeitorii (gekuu)

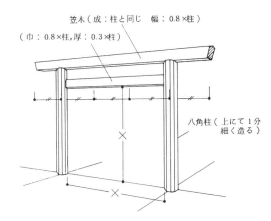

笠木（成：柱と同じ　幅：0.8×柱）

（巾：0.8×柱，厚：0.3×柱）

八角柱（上にて1分
細く造る）

春日鳥居
kasugatorii

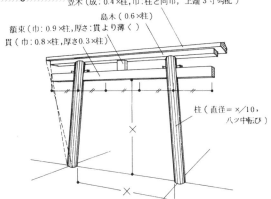

笠木（成：0.4×柱，巾：柱と同巾，上端3寸勾配）

島木（0.6×柱）

額束（巾：0.9×柱，厚さ：貫より薄く）

貫（巾：0.8×柱，厚さ0.3×柱）

柱（直径＝×／10，
八ツ中転び）

八幡鳥居
hachimantorii

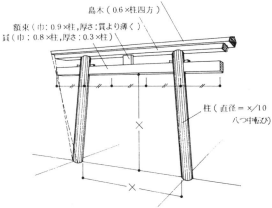

笠木（成：0.4×柱，巾：柱と同巾，上端：3寸勾配）

島木（0.6×柱四方）

額束（巾：0.9×柱，厚さ：貫より薄く）

貫（巾：0.8×柱，厚さ：0.3×柱）

柱（直径＝×／10
八つ中転び）

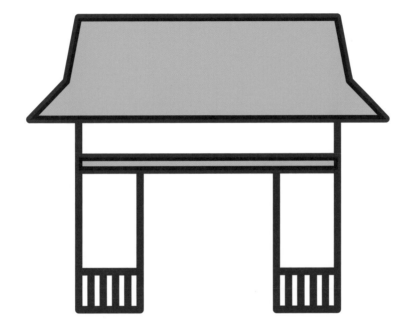

社寺／門・鐘楼
shaji ／ mon,shourou

楼門
roumon
正面姿図

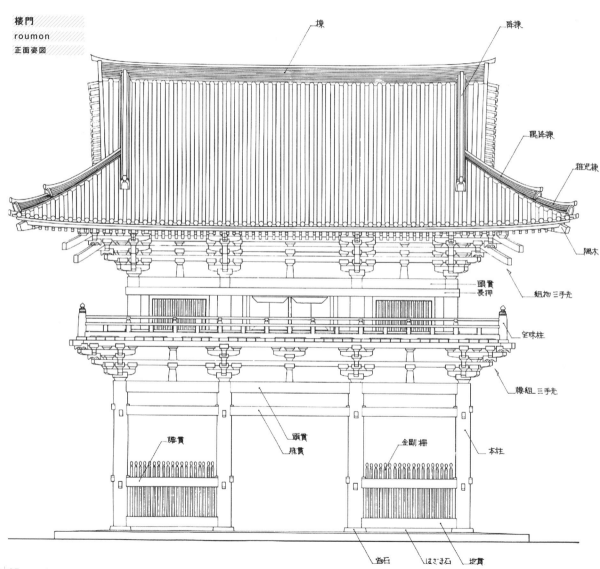

棟

降棟

隅降棟

稚児棟

隅木

頭貫
長押

組物三手先

室珠柱

腰組三手先

本柱

腰貫

頭貫
飛貫

金剛柵

礎石　はさみ石　地貫

側面姿図 /////////

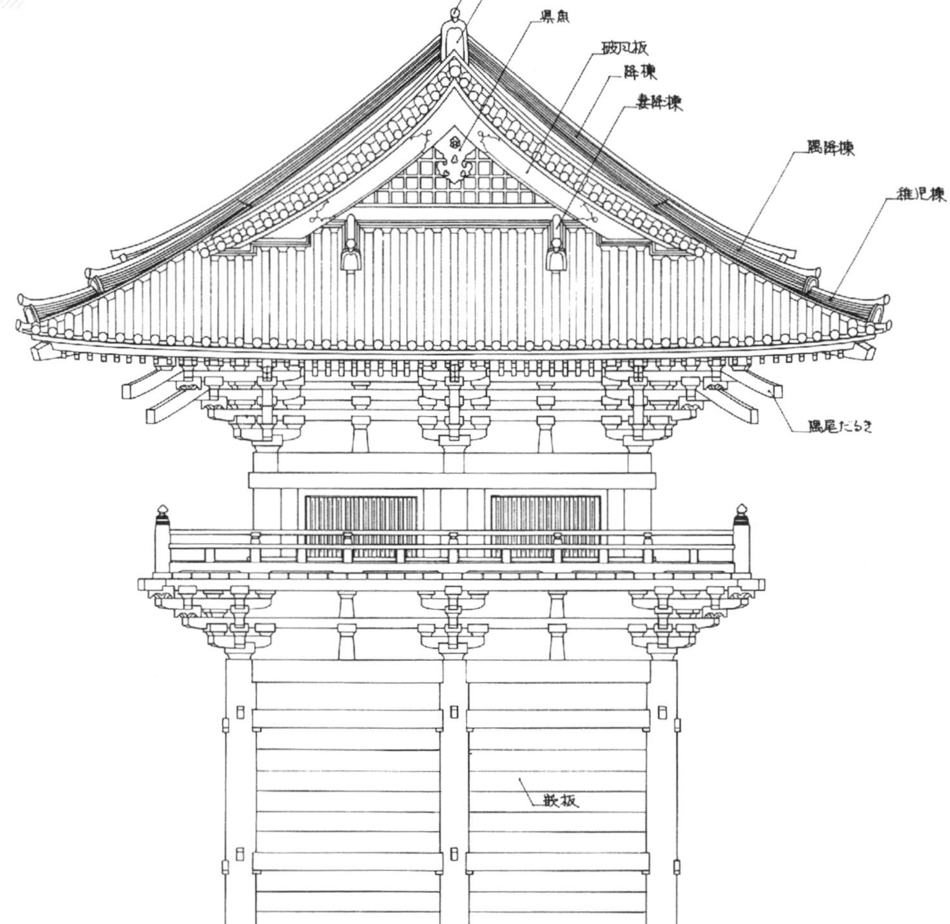

鳥ぶすま
鬼
県魚
破凡板
降棟
妻降棟
隅降棟
稚児棟
鳳尾たらき
歉板

袴腰鐘楼
hakamagoshishourou

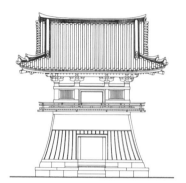

竜宮造山門
ryuuguuzukurisanmon

山門
sanmon

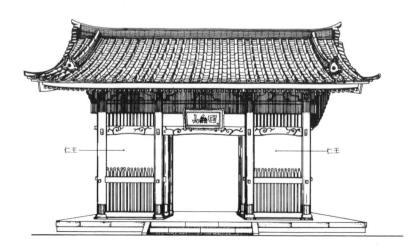

仁王　　　　　　　　仁王

鶴林寺 本堂
kakurinji, hondou

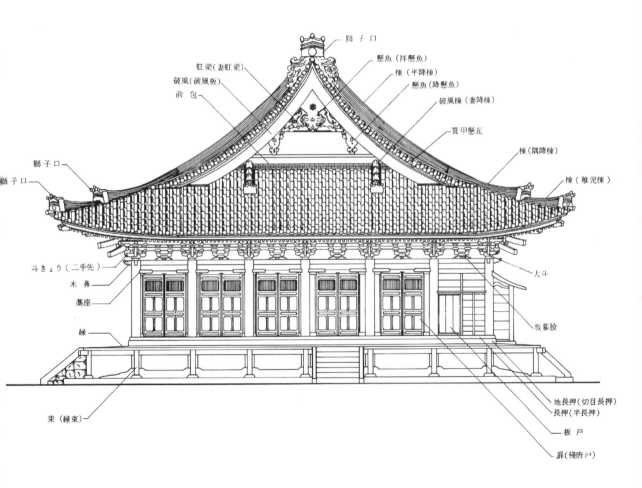

獅子口

虹梁 (妻虹梁)

破風 (破風板)

前 包

懸魚 (拝懸魚)

棟 (平降棟)

懸魚 (降懸魚)

破風棟 (妻降棟)

箕甲懸瓦

棟 (隅降棟)

棟 (稚児棟)

獅子口

獅子口

斗きょう (二手先)

木 鼻

棗座

大斗

板蟇股

縁

束 (縁束)

地長押 (切目長押)

長押 (半長押)

板 戸

扉 (棧唐戸)

東山慈照寺銀閣 観音殿
higashiyamajishoujiginkaku, kannonden

四脚鐘楼
yotsuashishourou

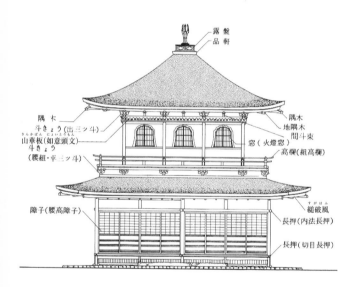

露盤
軒
品
斗きょう(出三ツ斗)
隅木
山華板(如意頭文)
斗きょう
(腰組・平三ツ斗)
障子(腰高障子)
長押(切目長押)

隅木
地隅木
間斗束
窓(火燈窓)
高欄(組高欄)
縋破風
長押(内法長押)

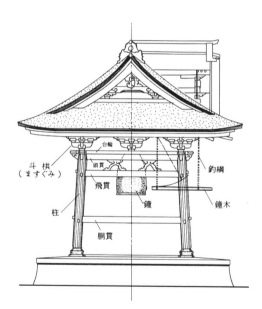

斗栱
(ますぐみ)
柱
飛貫
胴貫
台輪
頭貫
鐘
釣綱
鐘木

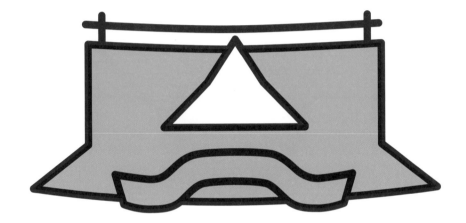

社寺／屋根・瓦

shaji／yane,kawara

錣屋根

shikoroyane

玉虫厨子屋根

tamamushinozushiyane

奈良時代前期

narajidai-zenki

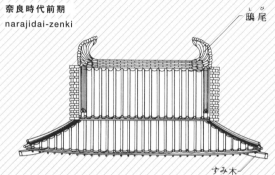

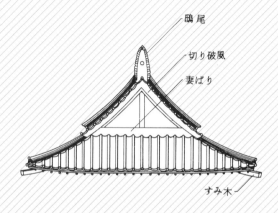

千鳥破風

chidorihahu

錦織神社本殿屋根

nishigoorijinjahondenyane

室町時代

muromachijidai

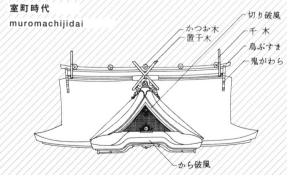

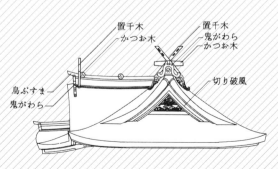

軒唐破風 ///////
nokikarahahu

大崎八幡神社社殿拝殿正面中央部 ///////
oosakihachimanjinjashadenhaidenshoumenchuuoubu ///////

桃山時代 ///////
momoyamajidai ///////

破風尻

から破風

唐破風
karahahu

法隆寺聖霊院厨子
houryuujishouryouinzushi
鎌倉時代
kamakurajidai

法隆寺北室院表門
houryuujikitamuroinomotemon
室町時代
muromachijidai

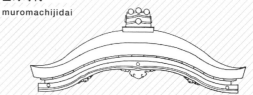

峯定寺本堂供水所
bujoujihondoukusuijo
鎌倉時代
kamakurajidai

西本願寺飛雲閣船入の間
nishihonganjihiunkakufunairinoma
江戸時代
edojidai

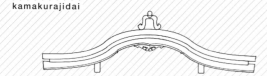

日光東照宮正面唐門
nikkoutoushouguushoumenkaramon
江戸時代
edojidai
側面図

正面図

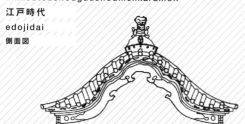

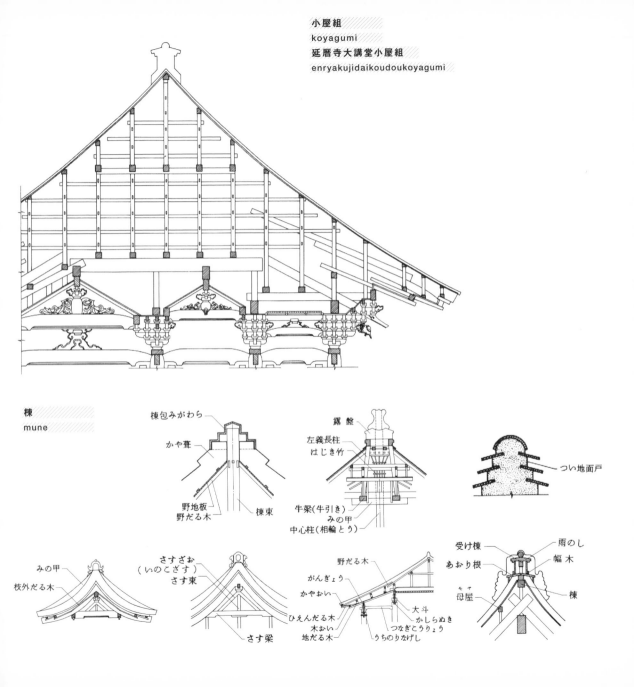

小屋組
koyagumi
延暦寺大講堂小屋組
enryakujidaikoudoukoyagumi

棟
mune

棟包みがわら
かや葺
野地板
野だる木
棟束

露盤
左義長柱
はじき竹
牛梁(牛引き)
みの甲
中心柱(相輪とう)

つい地面戸

みの甲
枝外だる木

さすざお
(いのこざす)
さす束
さす梁

野だる木
がんぎょう
かやおい
ひえんだる木
木おい
地だる木
大斗
かしらぬき
つなぎこうりょう
うちのりなげし

受け棟
あおり根
母屋
雨のし
幅木
棟

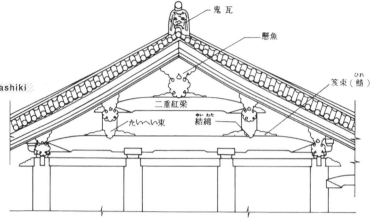

鬼瓦

懸魚

笈束（鰭）

二重紅梁

たいへい束

結綿

妻飾り
tsumakazari

二重虹梁大瓶束式
nijuukouryoutaiheizukashiki

東大寺大湯屋
toudaijiooyuya

室町時代
muromachijidai

拝懸魚
ogamigegyo

兎の毛通（唐破風懸魚）
unoketooshi (karahahugegyo)

かぶら懸魚
kaburagegyo

三ツ花猪ノ目懸魚
mitsubanainomegegyo

三ツ花かぶら懸魚
mitsubanakaburagegyo

三ツ花猪ノ目懸魚　　　三ツ花かぶら懸魚

イ

ハ

ロ

*イロハは繊型の例を示したもので
実際は同じ繊型が3つ彫られる。

降懸魚（端懸魚）
kudarigegyo (hashigegyo)

かぶら降懸魚
kaburakudarigegyo

降懸魚（端懸魚）
kudarigegyo (hashigegyo)

唐花降懸魚
karabanakudarigegyo

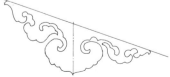

入母屋瓦葺屋根の部分名称
irimoyakawarabukiyane-no-bubunmeishou

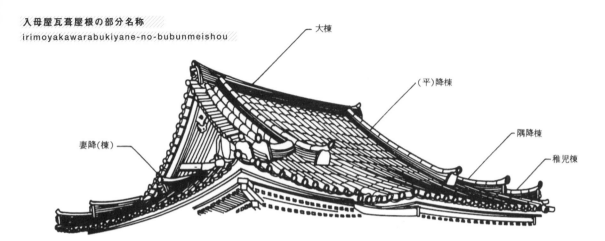

大棟

（平）降棟

隅降棟

稚児棟

妻降（棟）

軒丸瓦文様例
nokimarukawaramonyourei

単弁蓮花文
tanbenrengemon

複弁蓮花文
hukubenrengemon

新しい巴文
atarashiitomoemon

菊花様文
kikukayoumon

古式の巴文
koshikinotomoemon

鬼面鬼瓦
kimenonigawara

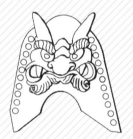

鯱
shachi

鴟尾
shibi

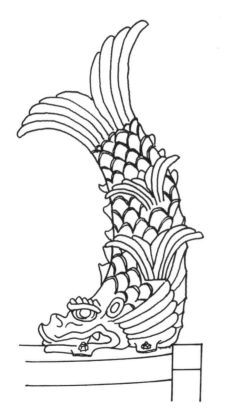

鬼板
oniita

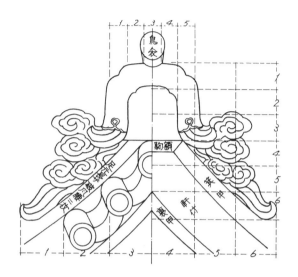

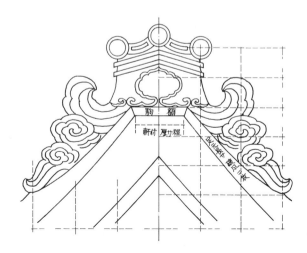

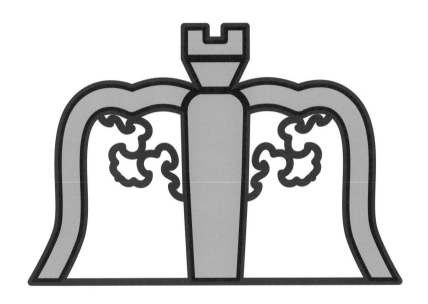

社寺／斗栱組・組物・虹梁・笈形
割束・蟇股・木鼻

shaji／tokyougumi,kumimono,kouryou,

oigata,warizuka, kaerumata,kibana

斗栱組
tokyougumi

二ツ斗（双斗）
hutatsudo (hutatsudo)

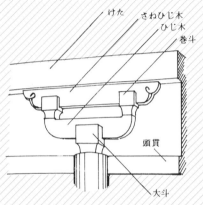

けた
さねひじ木
ひじ木
巻斗
頭貫
大斗

平三ツ斗
hiramitsudo

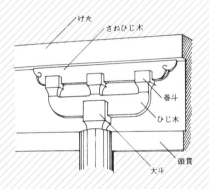

けた
さねひじ木
巻斗
ひじ木
頭貫
大斗

出三ツ斗
demitsudo

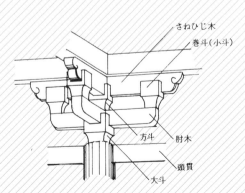

さねひじ木
巻斗（小斗）
方斗
肘木
頭貫
大斗

平連三ツ斗
hiratsuremitsudo

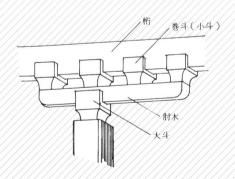

桁
巻斗（小斗）
肘木
大斗

組物（斗栱）
kumimono(tokyou)

和様三手先
wayoumitesaki

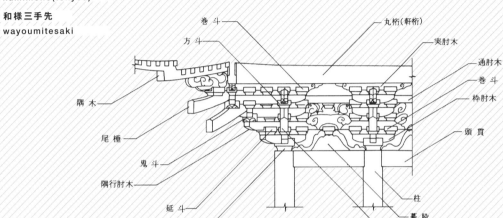

巻斗
方斗
丸桁（軒桁）
実肘木
通肘木
巻斗
枠肘木
頭貫
隅木
尾棰
鬼斗
隅行肘木
延斗
大斗
柱
蟇股
尾棰

一手先斗栱
hitotesakitokyou

丸桁（がぎょう）
肘木
巻斗
けた
通り肘木
台輪
大斗

二手先斗栱
hutatesakitokyou

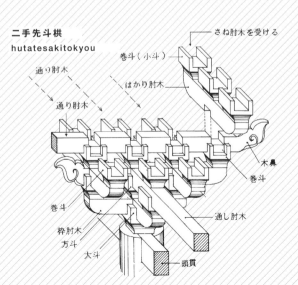

さね肘木を受ける
巻斗（小斗）
通り肘木
はかり肘木
通り肘木
木鼻
巻斗
巻斗
通し肘木
枠肘木
方斗
大斗
頭貫

組物（斗栱）
kumimono(tokyou)

三手先斗栱
mitesakitokyou

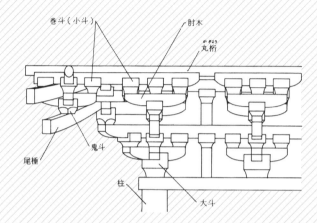

巻斗（小斗）
肘木
丸桁
鬼斗
尾棰
柱
大斗

四手先斗栱
yotesakitokyou

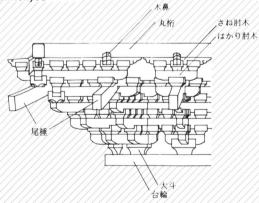

木鼻
丸桁
さね肘木
はかり肘木
尾棰
大斗
台輪

六手先斗栱
rokutesakitokyou

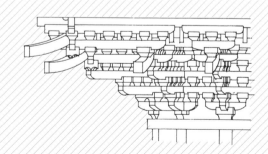

虹梁各種
kouryou-kakushu

清水寺西門
kiyomizuderanishimon
江戸時代
edojidai

東本願寺本堂
higashihonganjihondou
明治
meiji

円覚寺舎利殿
engakujishariden
鎌倉時代
kamakurajidai

雛形本所載
hinagatabonshosai
江戸時代
edojidai

大崎八幡神社拝殿
oosakihachimanjinjahaiden
桃山時代
momoyamajidai

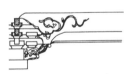

定光寺本堂
joukoujihondou
室町時代
muromachijidai

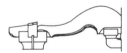

室生寺灌頂堂
muroujikanjoudou
鎌倉時代
kamakurajidai

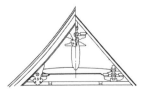

最勝院五重塔
saishouingojuunotou
江戸時代
edojidai

笈形
oigata

東本願寺大門
higashihonganjidaimon
明治時代
meijijidai

西本願寺飛雲閣
nishihonganjihiunkaku
江戸時代
edojidai

法隆寺南大門
houryuujinandaimon
室町時代
muromachijidai

日光大猷院夜叉門
nikkoudaiyuuinyashamon
江戸時代
edojidai

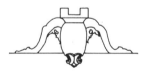

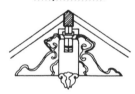

法界寺阿弥陀堂内陣壁面
houkaijiamidadounaijinhekimen
平安時代
heianjidai

興福寺北円堂内陣壁面
kouhukujihokuendounaijinhekimen
鎌倉時代
kamakurajidai

法隆寺地蔵堂
houryuujijizoudou
鎌倉時代
kamakurajidai

太瓶束

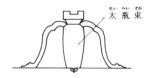

割束
warizuka

法隆寺金堂割束
houryuujikondouwarizuka
奈良時代
narajidai

蟇股
kaerumata

法隆寺東大門蟇股
houryuujitoudaimonkaerumata
奈良時代
narajidai

唐招提寺講堂蟇股
toushoudaijikoudoukaerumata
奈良時代
narajidai

唐招提寺金堂内陣蟇股
toushoudaijikondounaijinkaerumata
奈良時代
narajidai

東大寺転害門蟇股
toudaijitegaimonkaerumata
奈良時代
narajidai

法隆寺伝法堂蟇股
houryuujidenpoudoukaerumata
奈良時代
narajidai

東大寺三月堂北門
toudaijisangatsudoukitamon
鎌倉時代
kamakurajidai

元興寺極楽坊本堂
gangoujigokurakubouhondou
鎌倉時代
kamakurajidai

法隆寺西院鐘楼
houryuujisaiinshourou
平安時代
heianjidai

平等院鳳凰堂翼廊
byoudouinhououdouyokurou
平安時代
heianjidai

唐招提寺鼓楼
toushoudaijikorou
鎌倉時代
kamakurajidai

八坂神社西楼門
yasakajinjanishiroumon
室町時代
muromachijidai

蟇股
kaerumata

法隆寺北室院唐門
houryuujikitamuroinkaramon
室町時代
muromachijidai

鶴林寺本堂
kakurinjihondou
室町時代
muromachijidai

西本願寺飛雲閣
nishihonganjihiunkaku
江戸時代
edojidai

雛形本所載
hinagatabonshosai
江戸時代
edojidai

透かし蟇股
sukashikaerumata

宇治上神社本殿（南殿）
ujigamijinjahonden (nanden)
平安時代
heianjidai

醍醐寺薬師堂
daigojiyakushidou
平安時代
heianjidai

一乗寺三重塔
ichijoujisanjuunotou
平安時代
heianjidai

中尊寺金色堂
chuusonjikonjikidou
平安時代
heianjidai

厳島神社摂社客神社祓殿
itsukushimajinjasesshamaroudojinjaharaiden
鎌倉時代
kamakurajidai

西明寺本堂
saimyoujihondou
鎌倉時代
kamakurajidai

明通寺本堂
myoutsuujihondou
鎌倉時代
kamakurajidai

海住山寺文殊堂
kaijuusenjimonjudou
鎌倉時代
kamakurajidai

透かし蟇股
sukashikaerumata

三宝院庫裏
sanpouinkuri

桃山時代
momoyamajidai

観心寺牛滝堂
kanshinjiushitakidou

清水寺西門
kiyomizuderanishimon

江戸時代
edojidai

苗村神社八幡社
namurajinjahachimansha

室町時代
muromachijidai

錦織神社本殿
nishigoorijinjahonden

室町時代
muromachijidai

石清水八幡宮回廊
iwashimizuhachimanguukairou

江戸時代
edojidai

四天王寺金堂
shitennoujikondou

近江国小八木春日神社
ouminokunikoyagikasugajinja

長門国住吉神社本殿
nagatonokunisumiyoshijinjahonden

木鼻各種////////
kibana-kakushu ////////

獅子鼻////////
shishibana ////////

獏鼻
bakuhana

木鼻
kibana

大徳寺唐門
daitokujikaramon

観心寺本堂
kanshinjihondou

不動院金堂
hudouinkondou

東大寺鐘楼
toudaijishourou

醍醐寺経蔵
daigojikyouzou

東大寺鐘楼
toudaijishourou

大徳寺唐門
daitokujikaramon

法隆寺北室院
houryuujikitamuroin

守富村地蔵堂
moridomimurajizoudou

東大寺法華堂
toudaijihokkedou

長寿寺本堂
choujujihondou

明通寺本堂
myoutsuujihondou

法隆寺食堂
houryuujijikidou

守富村地蔵堂
moridomimurajizoudou

頭貫木鼻
kashiranukikibana

社寺shaji／出入口・柱脚・礎盤・板唐戸・桟唐戸・装飾金具・窓・花狭間・格狭間・露盤宝珠・高欄・擬宝珠
deiriguchi,chuukyaku,soban,itakarado,sankarado,soushokukanagu,mado,hanazama,gouzama,robanhouju,kouran,giboshi

社寺／出入口・柱脚・礎盤・板唐戸・桟唐戸・装飾金具・窓・
花狭間・格狭間・露盤宝珠・高欄・擬宝珠

shaji／deiriguchi,chuukyaku,soban,itakarado,
sankarado,soushokukanagu,mado,hanazama,
gouzama,robanhouju,kouran,giboshi

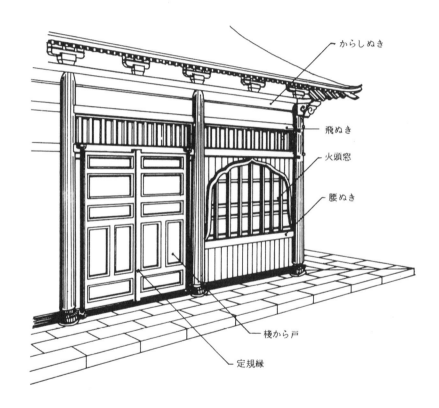

からしぬき

飛ぬき

火頭窓

腰ぬき

棧から戸

定規縁

礎盤
soban

善福院本堂
zenpukuinhondou
鎌倉時代
kamakurajidai

東本願寺大門
higashihonganjidaimon
明治
meiji

江戸時代末期の木割による円形の礎盤
edojidaimakki-no-
kiwariniyoruenkeinosoban

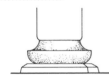

江戸時代末期の木割による方形の礎盤
edojidaimakki-no-
kiwariniyoruhoukeinosoban

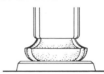

正福寺地蔵堂
shouhukujijizoudou
室町時代
muromachijidai

黄檗建築に多く用いる礎盤
oubakukenchiku-ni-
ookumochiirusoban

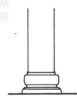

黄檗建築に多く用いる礎盤
oubakukenchiku-ni-
ookumochiirusoban

東福寺三門
touhukujisanmon
室町時代
muromachijidai

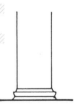

柱脚部の蓮花装飾
chuukyakubu-no-rengesoushoku

単弁蓮花
tanbenrenge

金剛寺多宝塔
kongoujitahoutou
平安時代後期
heianjidai-kouki

複弁蓮花
hukubenrenge

中尊寺金色堂
chuusonjikonjikidou
平安時代後期
heianjidai-kouki

複弁蓮花
hukubenrenge

金剛寺金堂
kongoujikondou
鎌倉時代
kamakurajidai

板唐戸
itakarado

日光東照宮鼓楼
nikkoutoushouguukorou

諸折板唐戸
morooriitakarado

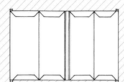

平等院鳳凰堂中堂
byoudouinhououdouchuudou

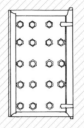

唐招提寺金堂
toushoudaijikondou

桟唐戸
sankarado

永保寺開山堂
eihoujikaizandou

東大寺開山堂内陣
toudaijikaizandounaijin

大徳寺唐門
daitokujikaramon

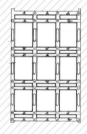

知恩院阿弥陀堂
chioninamidadou

日光東照宮奥院拝殿
nikkoutoushouguuokunoinhaiden

装飾金具各種
soushokukanagu-kakushu

内面散らし八双
naimenchirashihassou

西本願寺飛雲閣中層西面扉
nishihonganjihiunkaku
chuusounishimentobira

隅金具
sumikanagu

地主神社本殿内陣扉
jishujinjahondennaijintobira

八双金物
hassoukanamono

長押六葉
nageshirokuyou

破風板下端金物
hahuitashitabakanamono

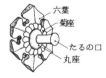

四葉金物
shiyoukanamono

大徳寺唐門扉
daitokujikaramontobira

定規縁金具展開図
jougihuchikanagutenkaizu

地主神社本殿内陣扉
jishujinjahonden
naijintobira

六葉
rokuyou

六葉
菊座
たるの口
丸座

桐散らし金物
kirichirashikanamono

八双金物
hassoukanamono

大徳寺唐門扉
daitokujikaramontobira

法隆寺金堂棰の先
houryuujikondoutarukinosaki

花狭間
hanazama

 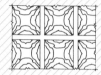 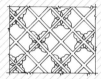

窓
mado

与力窓
yorikimado

武者窓
mushamado

菱格子窓
hishigoushimado

下地窓
shitajimado

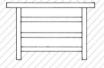 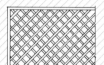 （右側の窓）

火灯窓
katoumado

格子窓
koushimado

連子窓
renjimado

氷裂文の窓
hiretsumonnomado

 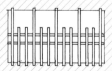

格狭間
gouzama

室生寺塔露盤
muroujitouroban

神宮寺本堂礼盤
jinguujihondouraiban

室生寺灌頂堂
muroujikanjoudou

仏通寺開山堂唐戸
buttsuujikaizandoukarado

高野山金剛三昧院塔内
kouyasankongousanmaiintounai

鶴林寺須彌壇
kakurinjishumidan

石山寺御影堂須彌壇
ishiyamaderamieidoushumidan

明王院本堂
myououinhondou

浄瑠璃寺礼盤
joururijiraiban

唐招提寺礼堂
toushoudaijiraidou

神護寺納涼房
jingojinouryoubou

露盤宝珠各種
robanhouju-kakushu

江戸時代雛形本所載
edojidaihinagatabonshosai

東福寺愛染堂
touhukujiaizendou
室町時代
muromachijidai

法隆寺夢殿
houryuujiyumedono
奈良時代後期
narajidai-kouki

日光東照宮輪蔵
nikkoutoushouguurinzou
江戸時代
edojidai

広隆寺桂宮院
kouryuujikeikyuuin
推定復元、鎌倉時代
suiteihukugen, kamakurajidai

興福寺北円堂
kouhukujihokuendou
鎌倉時代
kamakurajidai

江戸時代雛形本所載
edojidaihinagatabonshosai

擬宝珠
giboshi

宇治上神社本殿内部
ujigamijinjahondennaibu
平安時代後期
heianjidai-kouki

薬師寺東院堂
yakushijitouindou
鎌倉時代
kamakurajidai

擬宝珠割
giboshiwari
江戸時代
edojidai

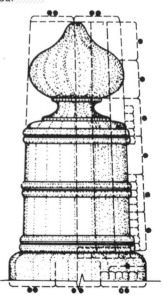

浄妙寺本堂
joumyoujihondou
鎌倉時代
kamakurajidai

日光東照宮本地堂
nikkoutoushouguu
honchidou
焼失、江戸時代
shoushitsu, edojidai

興福寺東金堂
kouhukujitoukondou
室町時代
muromachijidai

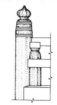

法界寺阿弥陀堂
houkaijiamidadou
平安時代後期
heianjidai-kouki

擬宝珠割
giboshiwari
明治
meiji

根来寺多宝塔
negorojitahoutou
室町時代
muromachijidai

高欄各種
kouran-kakushu

石山寺多宝塔内部
ishiyamaderatahoutounaibu
鎌倉時代
kamakurajidai

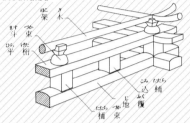

薬師寺東塔二重
yakushijitoutounijuu
奈良時代前期
narajidai-zenki

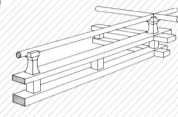

法隆寺金堂上層
houryuujikondoujousou
奈良時代前期
narajidai-zenki

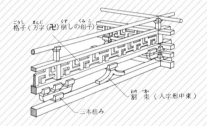

江戸時代木割法による組高欄
edojidaikiwarihouniyorukumikouran

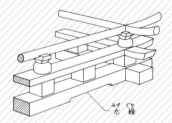

海竜王寺五重小塔五重
kairyuuoujigojuushoutougojuu
奈良時代前期
narajidai-zenki

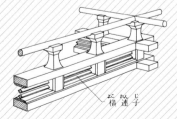

神明造に用いる高欄
shinmeizukurinimochiirukouran
明治
meiji

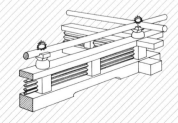

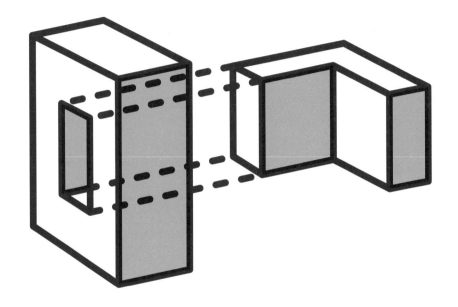

ほぞ各種・天井各種

hozo-kakushu,tenjou-kakushu

ほぞ各種
hozo-kakushu

ありほぞ
arihozo

あり
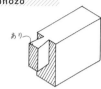

片ありほぞ
kataarihozo

かまほぞ
kamahozo

隠しかまほぞ
kakushikamahozo
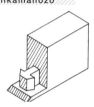

目違い胴付ほぞ
mechigaidoutsukihozo

片胴付ほぞ
katadoutsukihozo
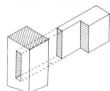

流しほぞ
nagashihozo

面腰ほぞ
mengoshihozo

傾斜胴付ほぞ
keishadoutsukihozo

傾斜胴付ほぞ
keishadoutsukihozo

着掛けほぞ
kisekakehozo

曲面胴付ほぞ
kyokumendoutsukihozo
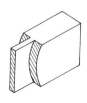

剣先胴付ほぞ
kensakidoutsukihozo

割りくさびほぞ
warikusabihozo

だぼ
dabo

そぎ継ぎ
sogitsugi

小根ほぞ
konehozo

小根ほぞ
konehozo

平ほぞ
hirahozo

二方胴付ほぞ
nihoudoutsukihozo

片胴付ほぞ
katadoutsukihozo

二方胴付ほぞ
nihoudoutsukihozo

三方胴付ほぞ
sanpoudoutsukihozo

三方胴付ほぞ
sanpoudoutsukihozo

二枚ほぞ
nimaihozo

二枚ほぞ
nimaihozo

二枚ほぞ
nimaihozo

二枚ほぞ
nimaihozo

雇いざね胴付ほぞ
yatoizanedoutsukihozo

二根付二枚ほぞ
hutanetsukinimaihozo

元一二枚ほぞ
motoichinimaihozo

四枚ほぞ
yonmaihozo

元一四枚ほぞ
motoichiyonmaihozo

重ほぞ
kasanehozo

天井各種
tenjou-kakushu

棹縁天井
saobuchitenjou

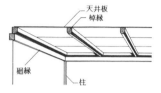

天井板
棹縁
廻縁
柱

格天井
goutenjou

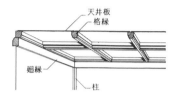

天井板
格縁
廻縁
柱

鏡天井
kagamitenjou

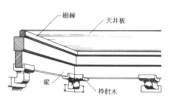

廻縁
天井板
梁
枠肘木

格天井
goutenjou

廻縁
天井板
小組
格縁
梁
柱

折上格天井
oriagegoutenjou

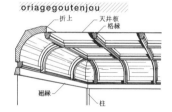

折上
天井板
格縁
廻縁
柱

船底天井
hunazokotenjou

天井板
タルキ
棟木
梁
柱

組入天井
kumiiretenjou

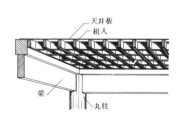

天井板
組入
梁
丸柱

小組格天井
kogumigoutenjou

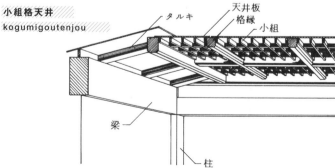

タルキ
天井板
格縁
小組
梁
柱

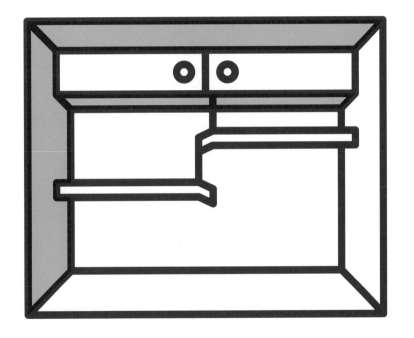

床の間・床脇

tokonoma, tokowaki

床の間、床脇の名称 ///////
tokonoma, tokowaki-no-meishou ///////

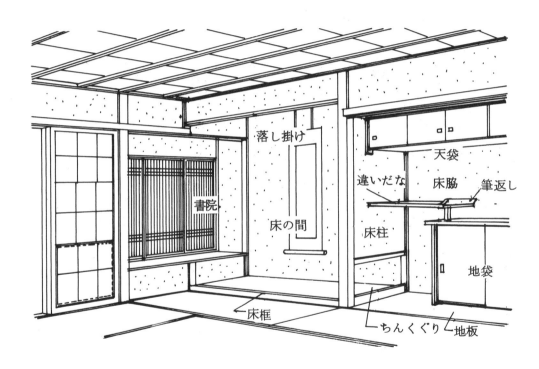

落し掛け

書院

床の間

違いだな

天袋

床脇

筆返し

床柱

地袋

床框

ちんくぐり

地板

床の間の勝手
tokonoma-no-katte /////////

本勝手
hongatte /////////

逆勝手
gyakugatte /////////

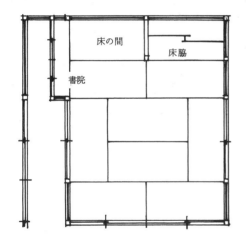

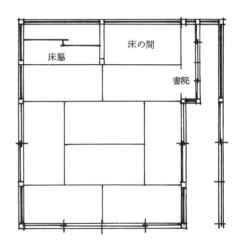

床の間の形式
tokonoma-no-keishiki

本床
hondoko

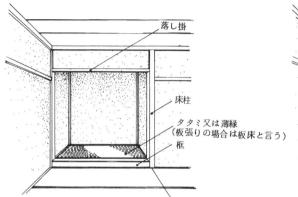

落し掛

床柱

タタミ又は薄縁
（板張りの場合は板床と言う）

框

蹴込床
kekomidoko

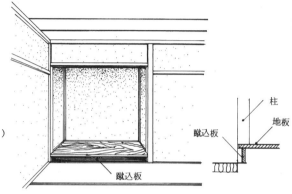

柱

地板

蹴込板

蹴込板

踏込床
humikomidoko

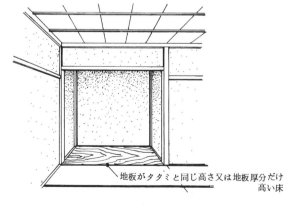

地板がタタミと同じ高さ又は地板厚分だけ
高い床

洞床
horadoko

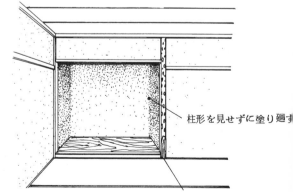

柱形を見せずに塗り廻す

袋床
hukurodoko

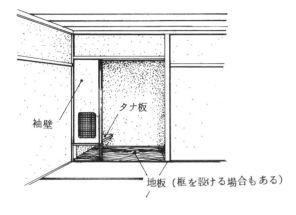

袖壁

タナ板

地板（框を設ける場合もある）

織部床
oribedoko

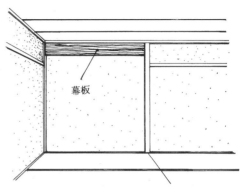

幕板

釣床
tsuridoko

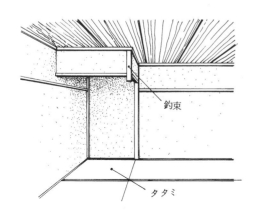

釣束

タタミ

琵琶床
biwadoko

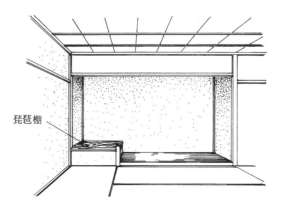

琵琶棚

床脇の名称 //////
tokowaki-no-meishou

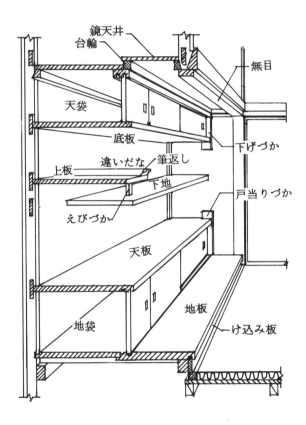

鏡天井

台輪

無目

天袋

底板

下げづか

違いだな　筆返し

上板

下地

戸当りづか

えびづか

天板

地袋

地板

け込み板

床脇の形式
tokowaki-no-keishiki

通り向かい棚
tourimukaidana

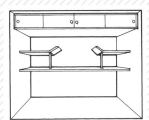

手肘木棚
tehijikidana

源氏棚
genjidana

敷込袋棚
shikikomihukurodana

重ね違い棚
kasanechigaidana

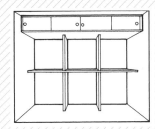

次第棚
shidaidana

丁子棚
choujidana

大輪棚
dairindana

卓棚
jokudana

水屋棚
mizuyadana

草紙棚
soushidana

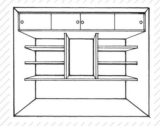

満月棚
mangetsudana

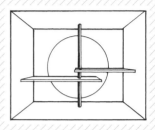

桐つぼ棚
kiritsubodana

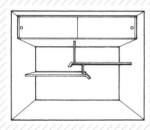

柳葉棚
yanagibadana

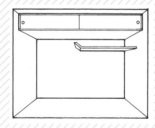

日の出棚
hinodedana

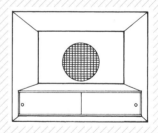

籠守棚
komoridana

立違棚
tatechigaidana

通り棚（一文字棚）
touridana (ichimonjidana)

書物棚
shomotsudana

絵合棚
eawasedana

一文字棚（地袋付）
ichimonjidana（jibukurotsuki）

一葉棚
ichiyoudana

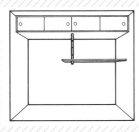

栄楽棚
eirakudana

薄霞棚
usugasumidana

早蕨棚
sawarabidana

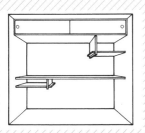

竹花棚
takehanadana

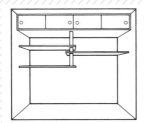

東雲棚
shinonomedana

表具棚
hyougudana

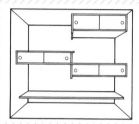

鶴棚
tsurudana

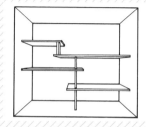

霞棚
kasumidana

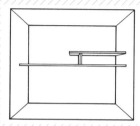

大和棚
yamatodana

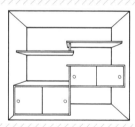

二見棚
hutamidana

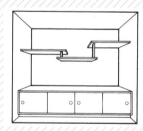

蓮花棚
rengedana

瑠璃棚
ruridana

廬葉棚
royoudana

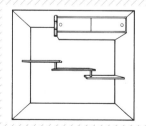

蝶遊棚
chouyuudana

折込棚
orikomidana

落違い棚
otoshichigaidana

短冊棚
tanzakudana

軍配棚
gunbaidana

勝軍木棚
nurutedana

銘玉棚
meigyokudana

初音棚
hatsunedana

御幸棚
miyukidana

藤枝棚
hujiedadana

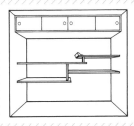

束棚
tsukadana

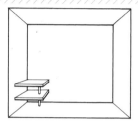

釣り棚
tsuridana

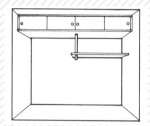

釣り棚
tsuridana

仕切り棚
shikiridana

仕切り違い棚
shikirichigaidana

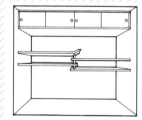

一重棚
ichijuudana

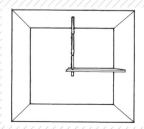

向い棚
mukaidana

隅取り棚
sumitoridana

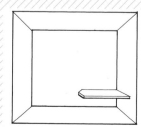

飾り棚
kazaridana

道幸棚
doukoudana

冠棚
kanmuridana

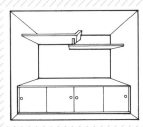

二重棚
nijuudana

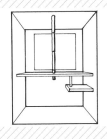

三重棚
sanjuudana

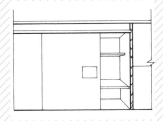

ひばり棚
hibaridana

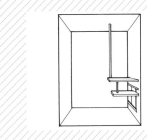

仏守棚
busshudana

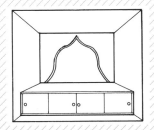

寝覚め棚
nezamedana

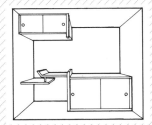

亀棚
kamedana

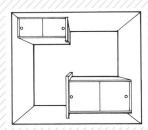

釘箱棚
kugibakodana

いの目棚
inomedana

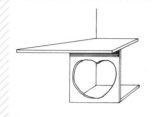

吉野棚
yoshinodana

夕霧棚
yuugiridana

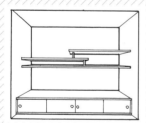

洞床
horadoko

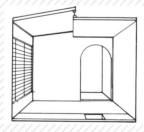

洞床（平面図）
horadoko (heimenzu)

ます組棚
masugumidana

和歌棚
wakadana

柳棚
yanagidana

通し棚
toushidana

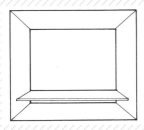

落し棚
otoshidana

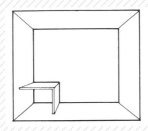

箱棚
hakodana

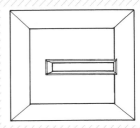

呉服棚
gohukudana

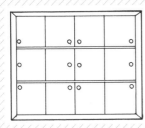

なまず棚
namazudana

文道棚
bundoudana

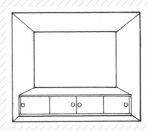

具足棚
gusokudana

二階棚
nikaidana

西楼棚
nishinikaidana

袋棚
hukurodana

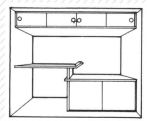

釣り棚
tsuridana

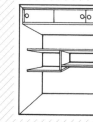

綿葉棚
menyoudana

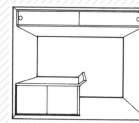

折上げ棚
oriagedana

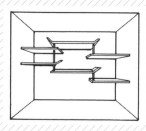

上下棚
kamishimodana

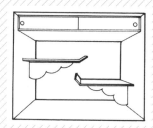

連子棚
renjidana

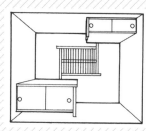

重重棚
juujuudana

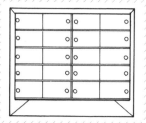

二重違い棚
nijuuchigaidana

びょうぶ棚
byoubudana

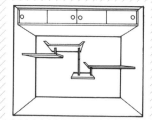

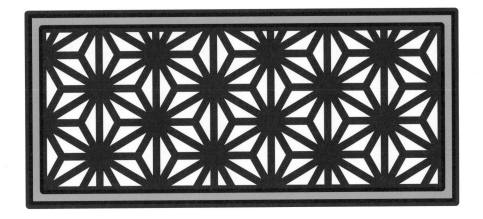

欄間

ranma

欄間の種類///////
ranma-no-shurui///////

筬欄間
osaranma///////

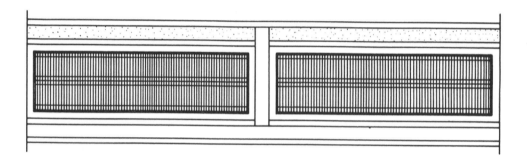

竹の節欄間///////
takenohushiranma///////

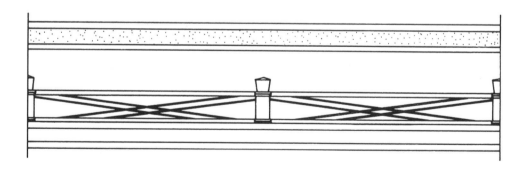

通し欄間
toushiranma

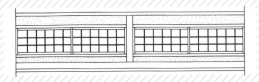

くし形欄間
kushigataranma

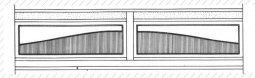

組子欄間
kumikoranma

塗り回し欄間
nurimawashiranma

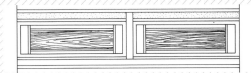

彫刻欄間
choukokuranma

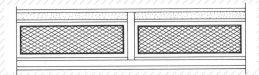

透かし欄間
sukashiranma

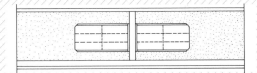

つのがら欄間
tsunogararanma

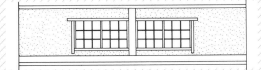

板欄間
itaranma

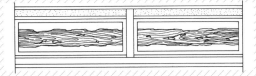

組子の種類
kumiko-no-shurui

筬組子
osakumiko

筬組子
osakumiko

筬組子
osakumiko

筬組子
osakumiko

角菱
kadobishi

一重菱
ichijuubishi

手違菱
techigaibishi

業平菱
narihirabishi

三重菱
sanjuubishi

菱蜻蛉
hishitonbo

菱まんじ
hishimanji

香の図組
kounozugumi

角つなぎ
kadotsunagi

筏組
ikadagumi

掛合組
kakeaigumi

扇組
ougigumi

網代組
ajirogumi

重菱井筒
kasanehishiizutsu

籠目組
kagomegumi

寄せまんじ組
yosemanjigumi

亀甲錦
kikkounishiki

銀杏葉菱
ichouhabishi

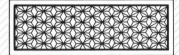

毘沙門亀甲
bishamonkikkou

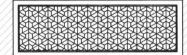

亀甲つなぎ
kikkoutsunagi

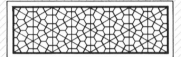

雪形亀甲
yukigatakikkou

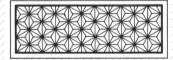

蜀江
shokkou

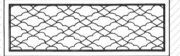

桔梗籠目
kikyoukagome

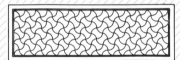

麻の葉
asanoha

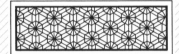

お多福菱
otahukubishi

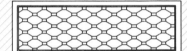

分胴つなぎ
bundoutsunagi

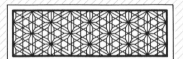

花七宝
hanashippou

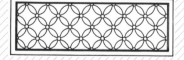

青海波
seigaiha

青海波
seigaiha

板欄間の種類
itaranma-no-shurui

結び輪違い
musubiwachigai

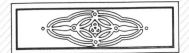

七宝結び
shippoumusubi

葛瓢
katsurahisago

かたばみ遠州
katabamienshuu

葵遠州
aoienshuu

瓢輪違い
hisagowachigai

遠州網形丁字
enshuuamigatachouji

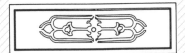

銀杏遠州
ginkyouenshuu

七宝つなぎ
shippoutsunagi

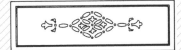

唐瓢遠州
touhyouenshuu

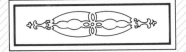

結び遠州
musubienshuu

重成瓢
shigenarihisago

遠州唐瓢
enshuutouhyou

州浜丁字
suhamachouji

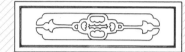

七宝若葉
shippouwakaba

花七宝
hanashippou

瓢唐草
hisagokarakusa

座鉄遠州
zatetsuenshuu

瓢輪遠州
hisagowaenshuu

蔓唐花
tsurutouka

松が枝遠州
matsugaeenshuu

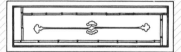

遠州蔓瓢
enshuutsuruhisago

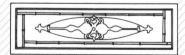

遠州蔓瓢
enshuutsuruhisago

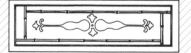

七宝丁字
shippouchouji

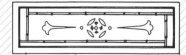

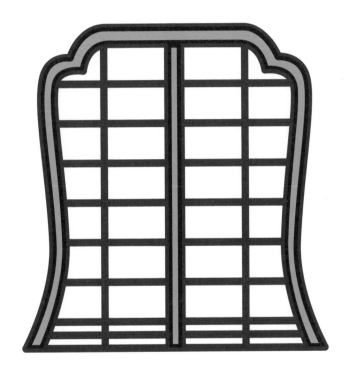

火灯窓

katoumado

火灯窓（花頭窓・源氏窓）各種
katoumado(katoumado)(genjimado) kakushu

琴柱火灯窓
kotojikatoumado

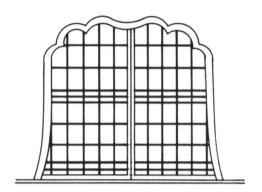
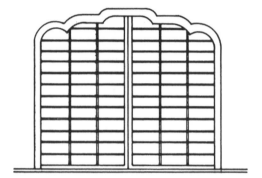
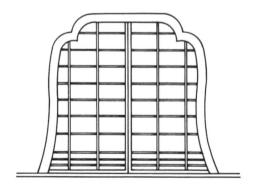
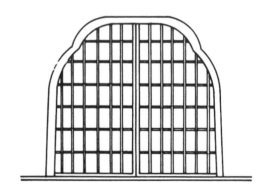

狭間火灯窓
samakatoumado

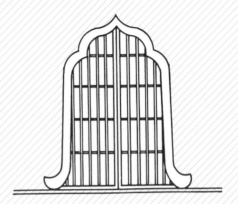
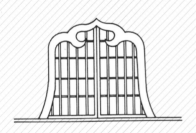
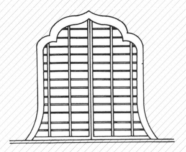

すみ切りほら火灯窓
sumikirihorakatoumado

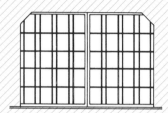

わらび火灯窓
warabikatoumado

山路火灯窓
yamajikatoumado

山路火灯窓
yamajikatoumado

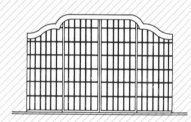

富士火灯窓
hujikatoumado

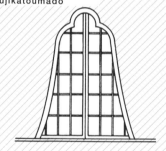

富士火灯窓
hujikatoumado

絵様の板入の火灯窓
eyounoitairinokatoumado

松川火灯窓
matsukawakatoumado

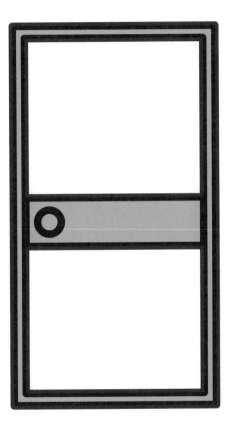

襖

husuma

襖の模様各種
husuma-no-moyou-kakushu

腰模様
koshimoyou

総模様
soumoyou

帯模様
obimoyou

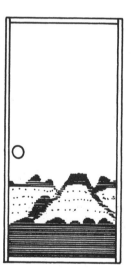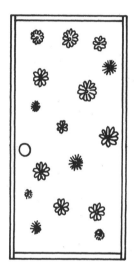

帯模様
obimoyou

帯張り
obibari

袖模様
sodemoyou

腰張り
koshibari

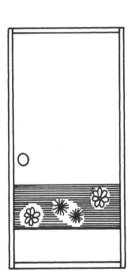

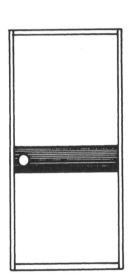

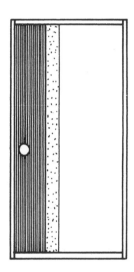

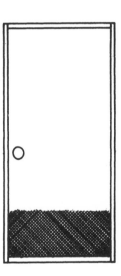

各部名称
kakubu-meishou

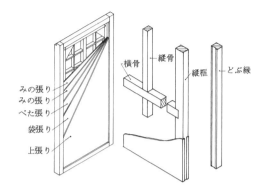

みの張り
みの張り
べた張り
袋張り
上張り

横骨
縦骨
縦框
どぶ縁

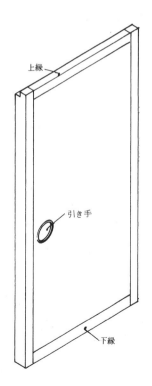

上縁

引き手

下縁

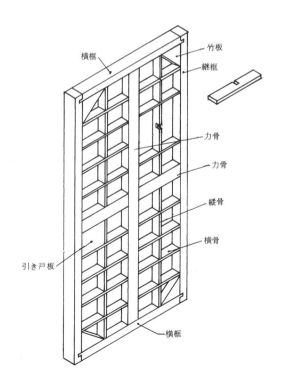

横框
竹板
継框
力骨
力骨
縦骨
横骨
引き戸板
横框

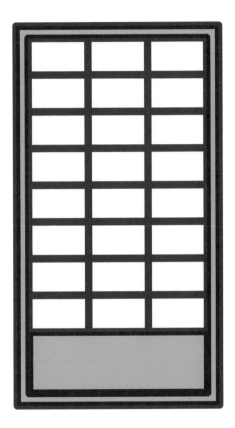

障子
shouji

障子の種類
shouji-no-shurui

腰付横組障子
koshitsukiyokogumishouji

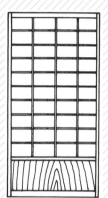

腰付横繁障子
koshitsukiyokoshigeshouji

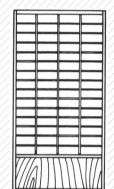

腰付竪繁障子
koshitsukitateshigeshouji

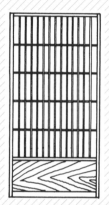

吹寄竪繁障子
hukiyosetateshigeshouji

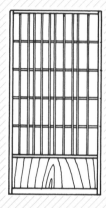

腰高横繁障子
koshidakayokoshigeshouji

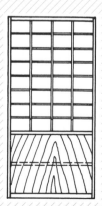

水腰横繁障子
mizukoshiyokoshigeshouji

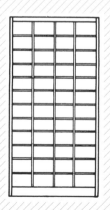

水腰桝組障子
mizukoshimasugumishouji

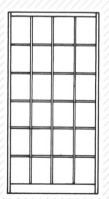

水腰障子
mizukoshishouji

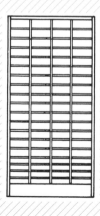

水屋桝組障子
mizuyamasugumishouji

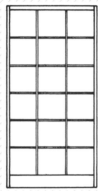

水屋桝組障子
mizuyamasugumishouji

中板障子
nakaitashouji

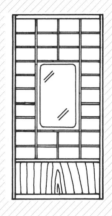

猫間障子
nekomashouji

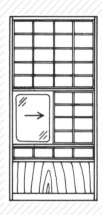

香の図組障子
kounozukumishouji

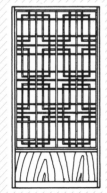

雪見障子（上げ下げ障子）
yukimishouji（agesageshouji）

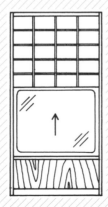

雪見障子（上げ下げ障子）
yukimishouji（agesageshouji）

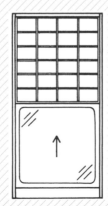

澆花亭障子
gyoukateishouji

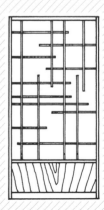

雪見障子（上げ下げ障子）
yukimishouji(agesageshouji)

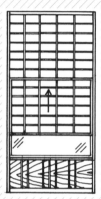

吹寄桝組障子
hukiyosemasugumishouji

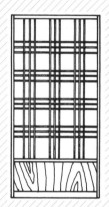

小間付すみ円障子
komatsukisumienshouji

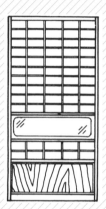

尺大腰一本込み障子
shakuoogoshiipponkomishouji

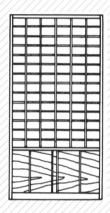

打込み障子
uchikomishouji

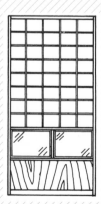

尺腰竪繁障子
shakugoshitateshigeshouji

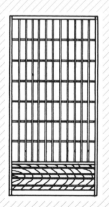

引き違い小間付すみ円障子
hikichigaikomatsukisumienshouji

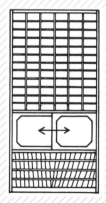

腰高障子
koshidakashouji

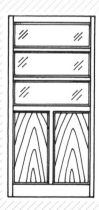

竹障子（竹の場合）
takeshouji (take-no-baai)

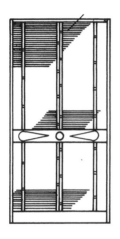

孫障子
magoshouji

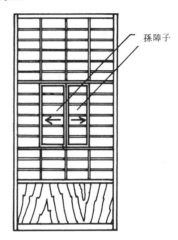

孫障子

中抜き（源氏）障子
nakanuki (genji) shouji

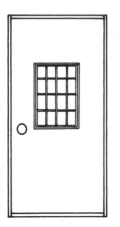

あずま障子
azumashouji

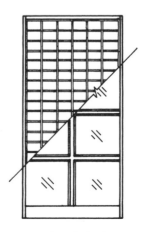

各部名称 //////////
kakubu-meishou //////////

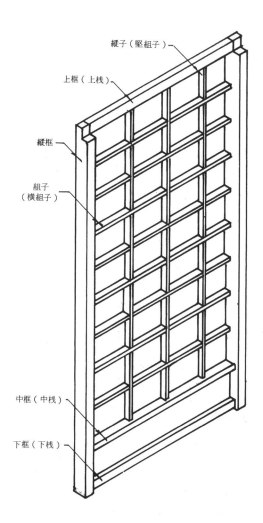

縦子（堅組子）

上框（上桟）

縦框

組子
（横組子）

中框（中桟）

下框（下桟）

格子戸

koushido

格子戸の種類
koushido-no-shurui

吹寄舞良戸
hukiyosemairado

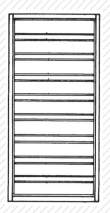

額入り格子戸
gakuirikoushido

格子戸
koushido

連子格子戸
renjikoushido

水腰格子戸
mizukoshikoushido

腰付格子戸
koshitsukikoushido

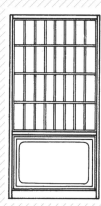

腰高木連れ格子戸
koshidakakitsurekoushido

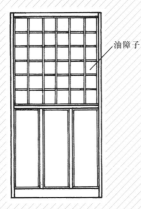
油障子

子持ち切り落し格子戸
komochikiriotoshikoushido

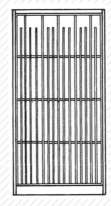

木連れ格子戸
kitsurekoushido

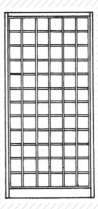

格子戸
koushido

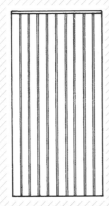

吹寄格子戸
hukiyosekoushido

竹格子戸
takekoushido

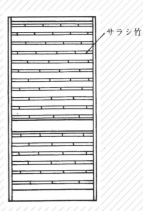
サラシ竹

水腰連子格子戸
mizugoshirenjikoushido

吹寄格子戸
hukiyosekoushido

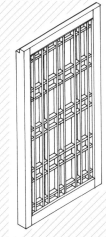

額入格子戸
gakuirikoushido

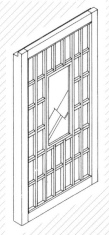

腰付額入格子戸
koshitsukigakuirikoushido

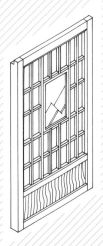

水腰額入格子戸
mizukoshigakuirikoushido

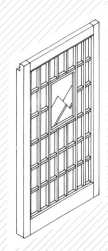

袖付格子戸
sodetsukikoushido

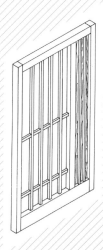

子持ち格子戸
komochikoushido

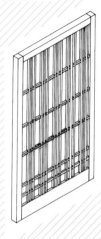

切り落し格子戸
kiriotoshikoushido

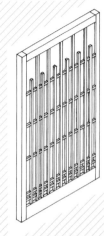

木連格子戸
kitsurekoushido

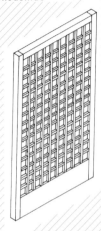

中帯格子戸
nakaobikoushido

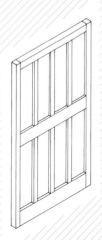

つぼ付格子戸
tsubotsukikoushido

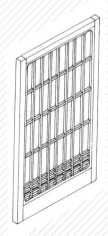

太格子戸
hutokoushido

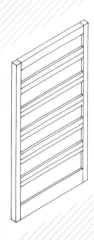

横格子戸
yokokoushido

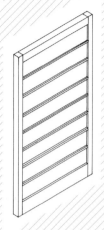

拡大図

竪格子戸
tatekoushido

拡大図

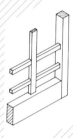

横板格子戸
yokoitakoushido

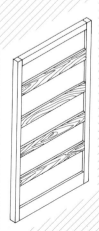

拡大図

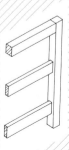

目板簀戸
meitasudo

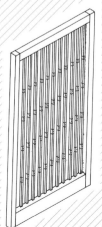

拡大図

木格子戸
kigoushido

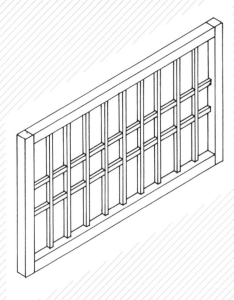

吹寄せ格子戸
hukiyosekoushido

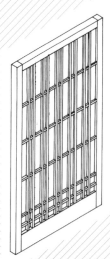

竪格子戸
tatekoushido

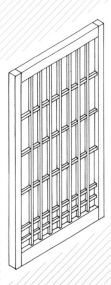

帯付おさ格子戸
obitsukiosakoushido

木連格子戸
kitsurekoushido

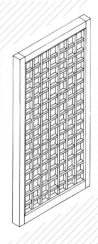

腰付格子戸
koshitsukikoushido

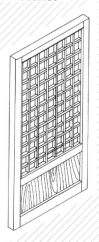

横桟格子戸
yokosankoushido

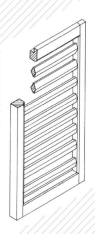

子持ち切り落し格子戸
komochikiriotoshikoushido

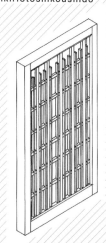

竪子持ち格子戸
tatekomochikoushido

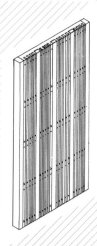

帯付横桟格子戸
obitsukiyokosankoushido

水腰吹寄格子戸
mizukoshihukiyosekoushido

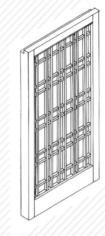

袖付横桟格子戸
sodetsukiyokosankoushido

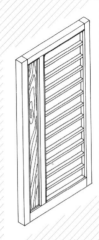

簀戸
sudo

化粧鋲

桝格子戸
masukoushido

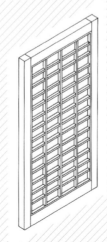

腰付吹寄格子戸
koshitsukihukiyosekoushido

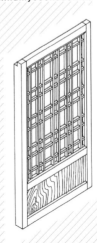

扇組
ougigumi

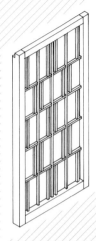

横組扇
yokogumiougi

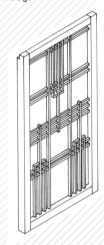

雁霞
karikasumi

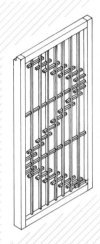

追掛まんじ組
okkakemanjigumi

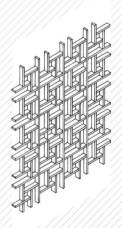

ます組
masugumi

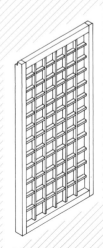

二の字くずし
ninojikuzushi

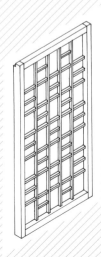

掛合組
kakeaigumi

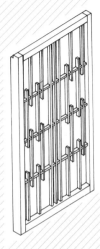

田の字組
tanojigumi

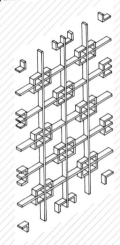

散らし扇
chirashiougi

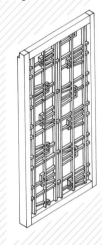

筏霞
ikadakasumi

立散らし霞
tatechirashigasumi

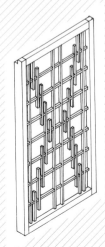

香の図組
kounozugumi

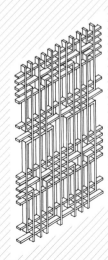

松葉くずし
matsubakuzushi

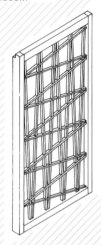

竪繁松葉くずし
tateshigematsubakuzushi

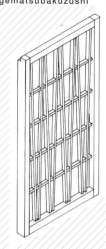

松葉つなぎ
matsubatsunagi

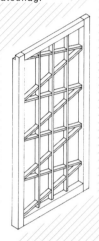

大松皮
oomatsukawa

矢羽組
yabanegumi

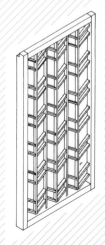

絞り組
shiborigumi

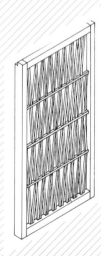

籠目組
kagomegumi

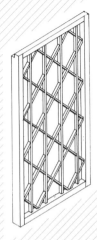

菱組
hishigumi

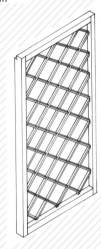

斜め組
nanamegumi

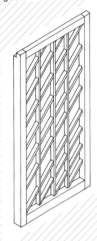

角菱二の字くずし
kadobishininojikuzushi

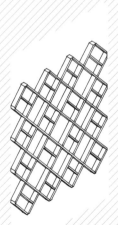

角菱ちらしまんじ
kadobishichirashimanji

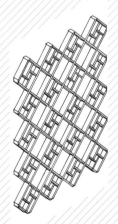

角菱
kadobishi

菱とんぼ組
hishitonbogumi

一重菱組
ichijuuhishigumi

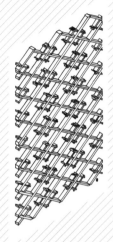

角亀甲組
kadokikkougumi

竪あじろ組
tateajirogumi

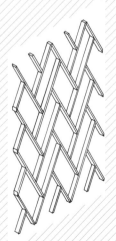

菱蜀紅組
hishishokkougumi

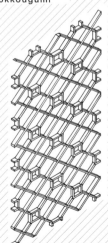

毘沙門亀甲
bishamonkikkou

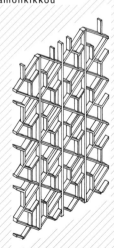

菱まんじ組
hishimanjigumi

のし目亀甲
noshimekikkou

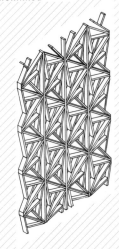

麻の葉組
asanohagumi

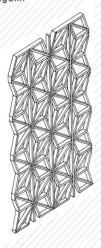

松皮菱
matsukawabishi

毘沙門組
bishamongumi

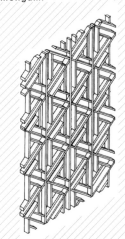

木瓜
mokkou

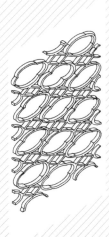

お多福菱
otahukubishi

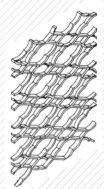

銀杏葉菱
ichouhabishi

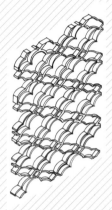

ちょうちん菱
chouchinbishi

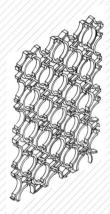

ねり菱
neribishi

七宝つなぎ
shippoutsunagi

七宝とんぼ
shippoutonbo

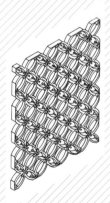

三重七宝 //////
sanjuushippou

角丸香の図組 //////
sumimarukounozugumi

うねり組 //////
unerigumi

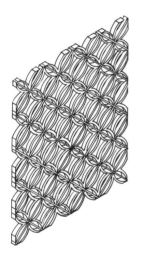

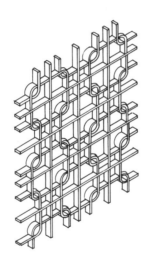

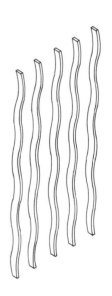

各部名称
kakubu-meishou

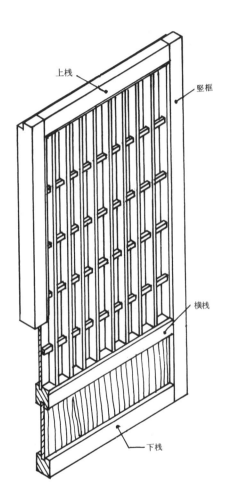

上桟

堅框

横桟

下桟

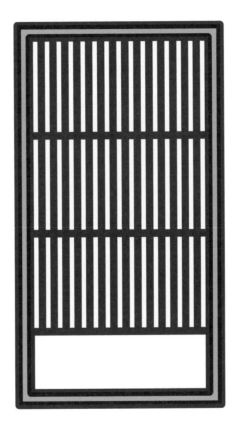

葭戸・簾戸

yoshido,sudo

葭戸・簾戸の種類
yoshido, sudo-no-shurui

尺腰葭戸
shakugoshiyoshido

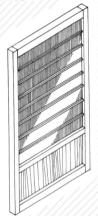

拡大図

水腰葭戸
mizukoshiyoshido

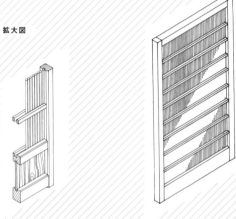

拡大図

櫛形葭戸
kushigatayoshido

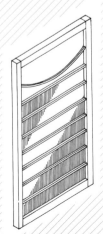

拡大図

中帯簾戸
nakaobisudo

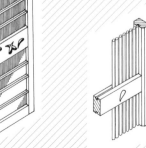

拡大図

簾戸の種類
sudo-no-shurui

透し腰簾戸
sukashigoshisudo

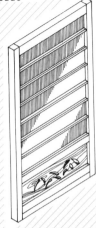

拡大図

横張り簾戸
yokobarisudo

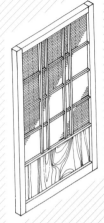

拡大図

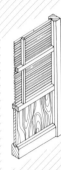

透し板入簾戸
sukashiitairisudo

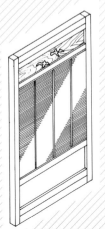

拡大図

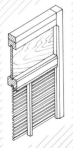

竹通し簾戸
taketoushisudo

拡大図

竹通し簾戸
taketoushisudo

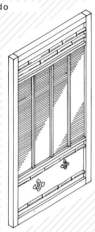

拡大図

竹通し簾戸
taketoushisudo

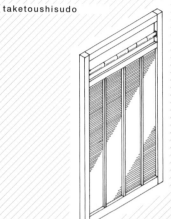

拡大図

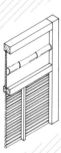

腰木連格子簾戸
koshikitsurekoushisudo

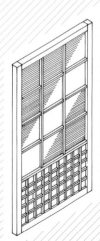

拡大図

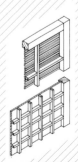

見切り簾戸
mikirisudo

拡大図

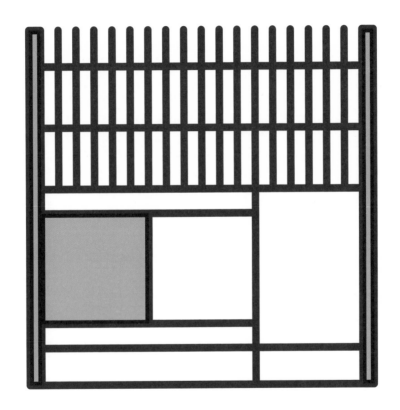

貴人口・にじり口・外壁脚部

kininguchi,nijiriguchi,gaihekikyakubu

貴人口の形状
kininguchi-no-keijou

清連亭
seirentei

清香軒
seikouken

清香軒
seikouken

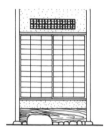

大黒庵
daikokuan

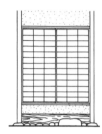

有楽茶室
urakuchashitsu

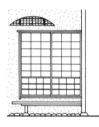

松花堂
shoukadou

南山亭
nanzantei

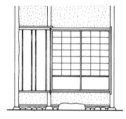

中ノ坊茶室
nakanobouchashitsu

幽月庵
yuugetsuan

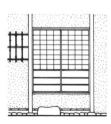

湘南亭
shounantei

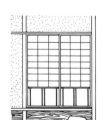

湘南亭
shounantei

湘南亭
shounantei

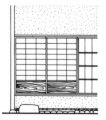

にじり口の形状
nijiriguchi-no-keijou

今日庵
konnichian

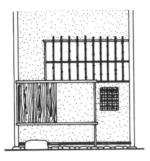

反古庵
hogoan

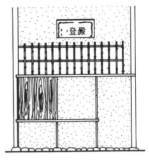

岩崎家燕庵
iwasakikeenan

東陽坊茶室
touyoubouchashitsu

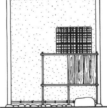

菅田庵
kandenan

明々庵
meimeian

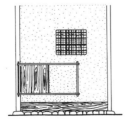

宗徧茶室
souhenchashitsu

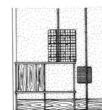

又隠
yuuin

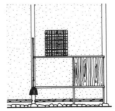

外壁脚部各種
gaihekikyakubu-kakushu

枕流亭（豊公好）
chinryuutei(houkougonomi)

吉野遺芳席（吉野好）
yoshino-ihouseki
(yoshinogonomi)

八窓庵（珠光好）
hassouan(jukougonomi)

腰見切に丸太使用の例
koshimikirini
marutashiyounorei

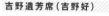

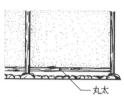

腰板を付けた例
koshiitawotsuketarei

遼廊亭の腰板
ryourouteinokoshiita

腰見切に竹使用の例
koshimikirinitakeshiyounorei

腰見切に竹使用の例
koshimikirinitakeshiyounorei

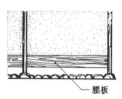
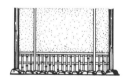

燕庵（紹智好）
enan(jouchigonomi)

竹を並べて意匠と
床下換気を兼ねた例
takewonarabeteishouto
yukashitakankiwokanetarei

露滴庵（紹智好）
rotekian(jouchigonomi)

丸太と腰板を使用した例
marutatokoshiitawo
shiyoushitarei

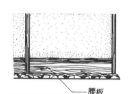

腰見切りに竹を使用し腰板も併用
koshimikirinitakewoshiyoushi
koshiitamoheiyou

唯松席寄付（庸軒好）
yuishousekiyoritsuki
(youkengonomi)

又隠（宗旦好）
yuuin(soutangonomi)

飛濤亭（光格天皇好）
hitoutei(koukakutennougonomi)

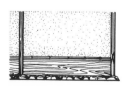

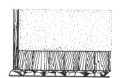
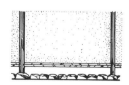

折釘・棚・模様・各部名称

orikugi,tana,moyou, kakubu-meishou

折釘各種
orikugi-kakushu

稲妻走り釘（無双釘）
inazumahashirikugi (musoukugi)

稲妻折釘（二重折釘）
inazumaorikugi (nijuuorikugi)

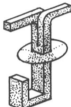

簾掛釘
sudarekakekugi

窓障子掛釘
madoshoujikakekugi

掛灯釘
kaketoukugi

無双釘（中釘）
musoukugi(nakakugi)

大　中　小

貝折釘
kaiorikugi

床柱花釘
tokobashirahanakugi

床中釘
tokonakakugi

袋掛釘
hukurogakekugi

大　中　小

床落掛釘
tokootoshigakekugi

合折釘
aiorekugi

花掛釘
hanakakekugi

朝顔釘
asagaokugi

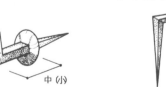

中 (小)

吉野棚
yoshinodana

置水屋
okimizuya

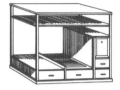

置道幸
okidouko

水屋箪笥
mizuyatansu

木灯籠
mokutourou

江岑棚
koushindana

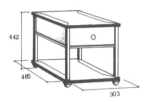

442

485

303

四方棚
yohoudana

志野棚
shinodana

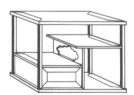

紹鷗棚
jououdana

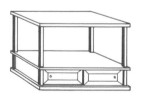

袋棚
fukurodana

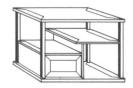

品川棚
shinagawadana

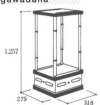

1,257

279

318

竹台子
takedaisu

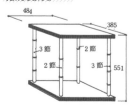

484

385

3節　　2節

2節　　3節

551

炮烙棚
hourakudana

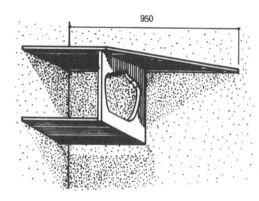

950

たんけい
tankei

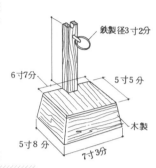

鉄製径3寸2分

6寸7分

5寸5分

5寸8分

7寸3分

木製

釣戸棚
tsuritodana

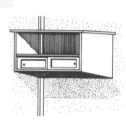

釘箱棚
kugibakodana

花足
gesoku

自在鈎
jizaikagi

竹

掛縄

小猿

ひるかん
蛭鈎

上下に屈伸

湯桶
yuoke

三友棚
sanyuudana

丸卓
marujoku

310

400

330

模様
moyou

稲妻
inazuma

剣どもえ
kendomoe

算くずし
sankuzushi

雷文
raimon

剣先
kensaki

立てわき
tatewaki

青海波
seigaiha

干し網
hoshiami

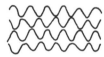

ぐり
guri

ぐり
guri

組み輪ちがい
kumiwachigai

氷割れ
hiware

乱石
midareishi

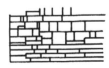

かご目
kagome

一の宮つなぎ
ichinomiyatsunagi

一の宮つなぎ
ichinomiyatsunagi

模様
moyou

いかだ
ikada

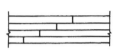

四半敷き
shihanjiki

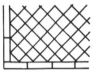

市松
ichimatsu

やはず
yahazu

亀甲
kikkou

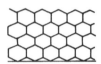

亀甲形
kikkougata

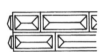

組み亀甲
kumikikkou

剣亀甲
tsurugikikkou

大和
yamato

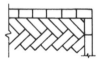

さや形
sayagata

たすき
tasuki

立てびし
tatebishi

朽ち木形
kuchikigata

朽ち木模様
kuchikimoyou

平井筒
hiraizutsu

重井筒
kasaneizutsu

模様・各部名称
moyou, kakubu-meishou

もっこう渦
mokkouuzu

四葉座
shiyouza

剣まゆ
tsurugimayu

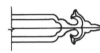

香の図
kounozu

円座
enza

がん木輪
gangiwa

がん木
gangi

子持ち山形
komochiyamagata

四つ割びし
yotsuwaribishi

松皮びし
matsukawabishi

眼象
genjou

油えん形
yuengata

弓まゆ
yumimayu

わらび手
warabide

たかのはし
takanohashi

たかのはし
takanohashi

忍冬
nindou

忍冬
nindou

から草
karakusa

露先
tsuyusaki

渦若葉
uzuwakaba

わらび手
warabide

しょうじょう足
shoujouashi

さぎの足
saginoashi

ねこ足
nekoashi

花足
gesoku

牙象
gejou

筆返しの種類
hudegaeshi-no-shurui

浪
nami

立浪
tatsunami

唐波
karanami

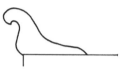

返浪
kaeshinami

返浪
kaeshinami

返浪
kaeshinami

逆浪
sakanami

角浪
kadonami

鷹頭
takagashira

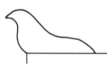

鷹頭
takagashira

鳩胸
hatomune

鳩胸
hatomune

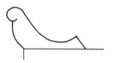

都鳥
miyakodori

蕨手
warabide

蕨形
warabigata

若葉
wakaba

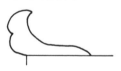

一重雲
hitoegumo

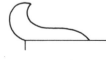

二重雲
hutaegumo

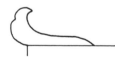

返雲
kaeshigumo

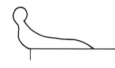

松笠
matsugasa

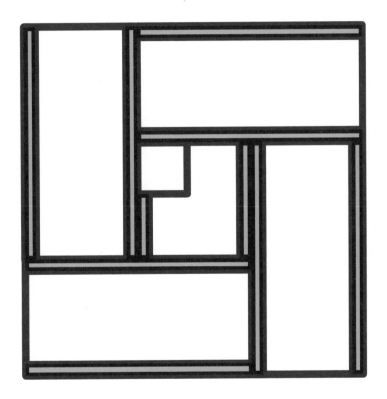

資料／各部の名称

（木構造・座敷・茶室）・畳

shiryou ／ kakubu-no-meishou(mokkouzou,
zashiki,chashitsu),tatami

木構造の名称
mokkouzou-no-meishou

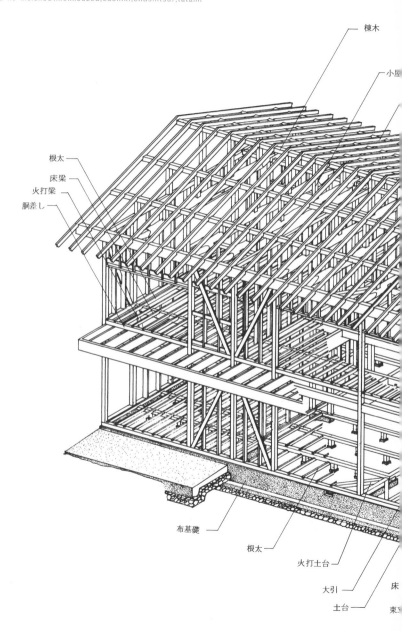

棟木

小屋

根太

床梁

火打梁

胴差し

布基礎

根太

火打土台

大引

土台

床

束

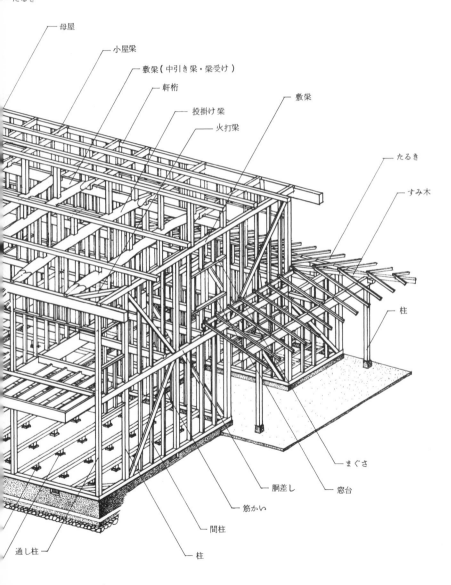

―たるき

―母屋

―小屋梁

―敷梁(中引き梁・梁受け)

―軒桁

―投掛け梁

―火打梁

敷梁

たるき

すみ木

柱

まぐさ

窓台

胴差し

筋かい

間柱

柱

通し柱

座敷各部の名称
zashiki-kakubu-no-meishou

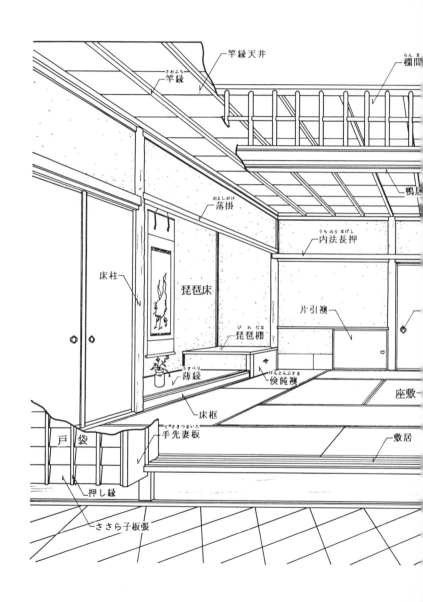

竿縁天井

欄間 らんま

竿縁 さおぶち

落掛 おとしがけ

内法長押 うちのりなげし

鴨居

床柱

琵琶床

片引襖

琵琶棚 びわだな

薄縁 うすべり

倹鈍襖 けんどんぶすま

座敷

床框

敷居

戸 袋

手先妻板 てさきつまいた

押し縁

ささら子板張

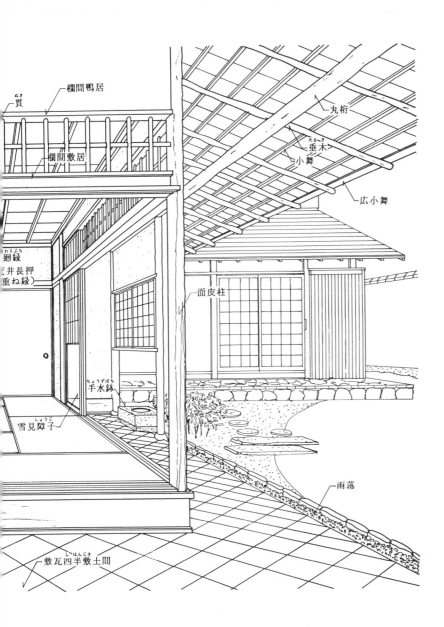

貫
欄間鴨居
欄間敷居
廻縁
天井長押
（重ね縁）
面皮柱
手水鉢
雪見障子
敷瓦四半敷土間
丸桁
垂木
小舞
広小舞
雨落

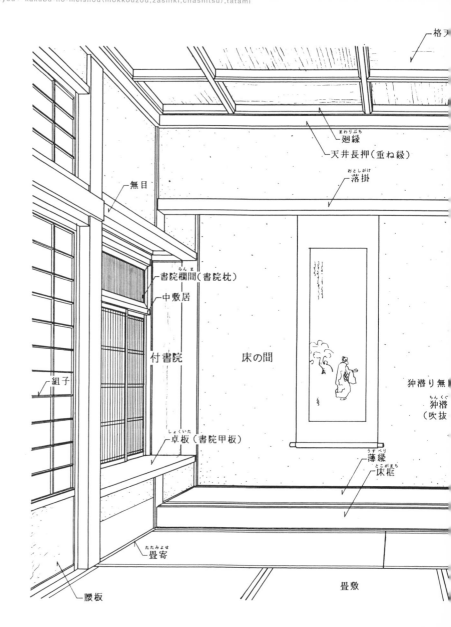

書院各部の名称
shoin-kakubu-no-meishou

格天

まわりぶち
廻縁

天井長押（重ね縁）

おとしがけ
落掛

無目

書院欄間（書院枕）

中敷居

付書院

床の間

狛犬潜り無

りん ぐて
狛潜
（吹抜

組子

しょくいた
卓板（書院甲板）

うすべり
薄縁
とこがまち
床框

たたみよせ
畳寄

畳敷

腰板

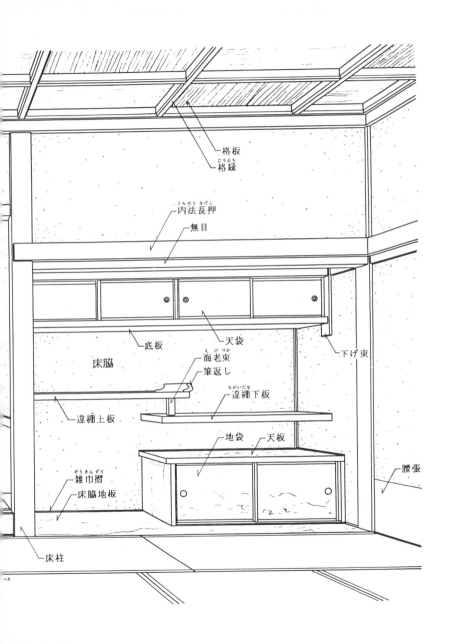

格板
格縁
ごうぶち

内法長押
うちのりなげし
無目

天袋

底板

下げ束

床脇

海老束
えびづか
筆返し

違棚下板
ちがいだな

違棚上板

地袋
天板

雑巾摺
ぞうきんずり
床脇地板

腰張

床柱

へり

茶室の各部名称
chashitsu-no-kakubu-meishou

四畳半本勝手
yojouhanhongatte

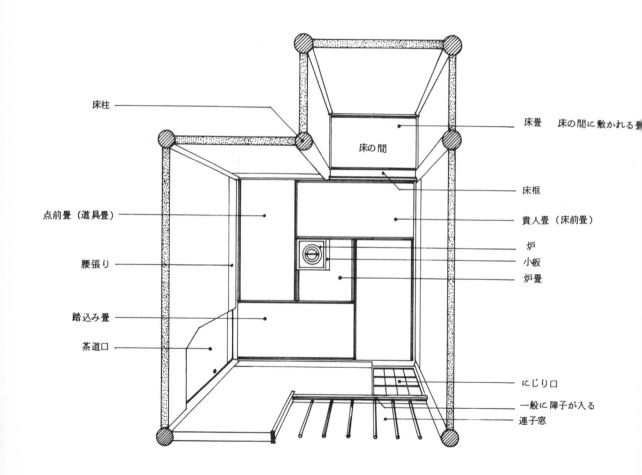

床柱

床畳　床の間に敷かれる畳

床の間

床框

点前畳（道具畳）

貴人畳（床前畳）

炉

小板

炉畳

腰張り

踏込み畳

茶道口

にじり口

一般に障子が入る

連子窓

二畳台目本勝手
nijoudaimehongatte

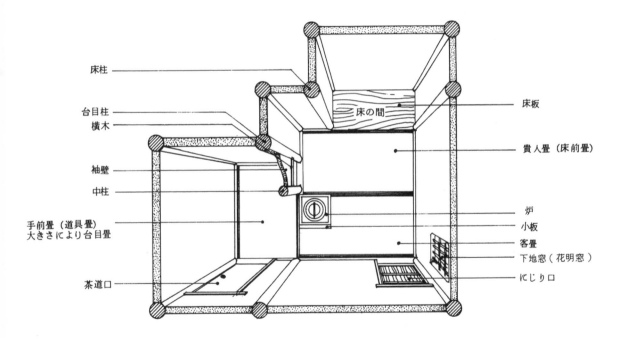

床柱

台目柱
横木

袖壁
中柱

手前畳（道具畳）
大きさにより台目畳

茶道口

床の間

床板

貴人畳（床前畳）

炉
小板
客畳
下地窓（花明窓）
にじり口

小間の基本的茶室
koma-no-kihontekichashitsu

四畳半席
yojouhanseki

長四畳席
nagayojouseki

深三畳台目席
hukasanjoudaimeseki

平三畳台目席
hirasanjoudaimeseki

三畳席
sanjouseki

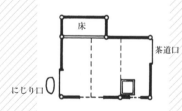

二畳台目席
nijoudaimeseki

二畳席
nijouseki

一畳台目席
ichijoudaimeseki

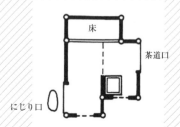

一畳台目茶席
ichijoudaimechaseki

月華殿の金毛窟
gekkaden-no-kinmoukutsu

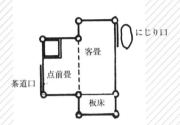

一畳台目席
ichijoudaimeseki

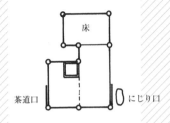

一畳半茶席
ichijouhanchaseki

利休好草庵
rikyuugonomisouan

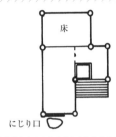

二畳茶席
nijouchaseki

利休大徳寺門前屋敷の席
rikyuudaitokujimonzenyashikinoseki

瓢竹庵
hyouchikuan

二畳中板茶席
nijounakaitachaseki

中ノ坊二畳中板席
nakanobou-nijounakaitaseki

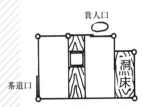

宗旦好二畳中板席
soutangonominijounakaitaseki

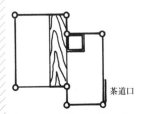

二畳台目茶席
nijoudaimechaseki

真珠庵の庭玉軒
shinjuan-no-teigyokuken

中川宗伴座敷
nakagawasouhanzashiki

三畳茶席
sanjouchaseki

聚光院の閑隠席
jukouin-no-kaninseki

宗貞好三畳席
souteigonomisanjouseki

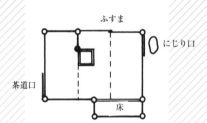

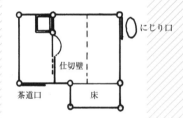

三畳台目茶席
sanjoudaimechaseki

遠州一心寺茶室
enshuuisshinjichashitsu

金地院八窓席
konchiinhassouseki

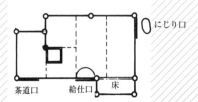

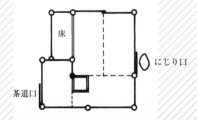

四畳茶席
yojouchaseki

奥村宗旦座敷
okumurasoutanzashiki

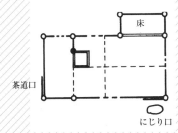

茶道口 / 床 / にじり口

武者小路千家の半宝庵
mushanokoujisenke-no-hanpouan

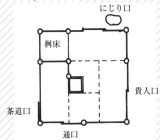

にじり口 / 桝床 / 茶道口 / 貴人口 / 通口

四畳半茶席
yojouhanchaseki

利休草の四畳半（又隠）
rikyuusou-no-yojouhan (yuuin)

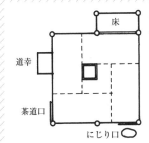

床 / 道幸 / 茶道口 / にじり口

利休四聖坊四畳半（逆勝手）
rikyuushishoubouyojouhan (gyakugatte)

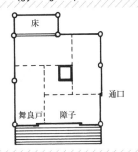

床 / 通口 / 舞良戸 / 障子

四畳台目茶席
yojoudaimechaseki

遠州伏見屋敷席
enshuuhushimiyashikiseki

茶道口 / 給仕口 / 点前座 / 床 / にじり口

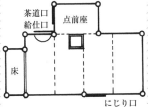

織部八窓庵
oribehassouan

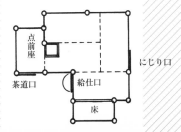

点前座 / にじり口 / 茶道口 / 給仕口 / 床

四畳半台目茶席
yojouhandaimechaseki

織部好四畳半台目席
oribegonomiyojouhandaimeseki

遠州好密庵席
enshuugonomimittanseki

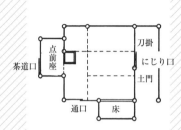

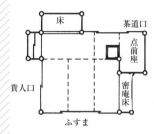

五畳茶席
gojouchaseki

時入庵
tokiirian

無色軒
mushikiken

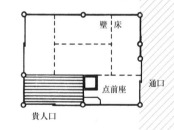

五畳半茶席
gojouhanchaseki

五畳半席
gojouhanseki

五畳半台目茶席
gojouhandaimechaseki

五畳半台目席
gojouhandaimeseki

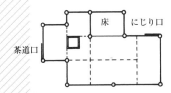

六畳茶席
rokujouchaseki

六畳向切
rokujoumukougiri

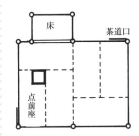

鹿ケ谷住友別荘の六畳
shishigatanisumitomobessounorokujou

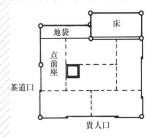

六畳台目茶席
rokujoudaimechaseki

松涛庵六畳台目向切
shoutouanrokujoudaimemukougiri

鹿児島玉里の茶室
kagoshimatamasato-no-chashitsu

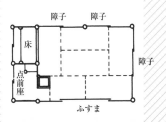

七畳茶席
nanajouchaseki

伏見稲荷御茶屋七畳席
hushimiinariochayananajouseki

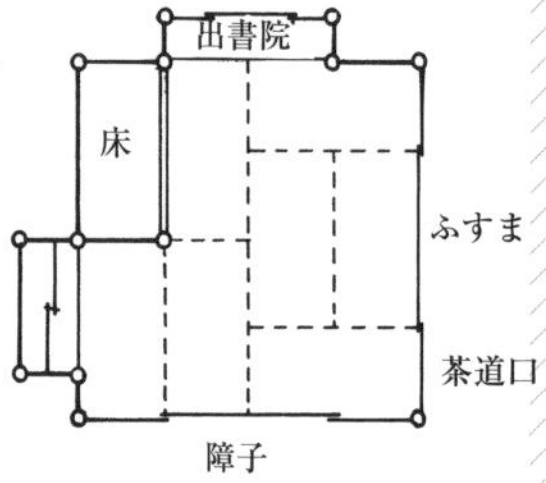

武者小路千家環翠園
mushanokoujisenkekansuien

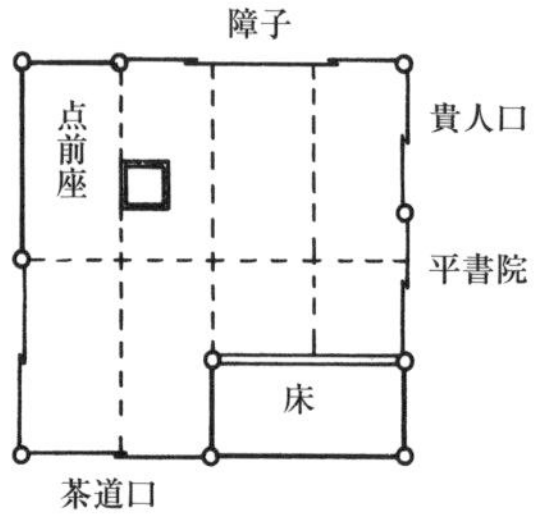

八畳茶席
hachijouchaseki

妙喜庵明月堂
myoukianmeigetsudou

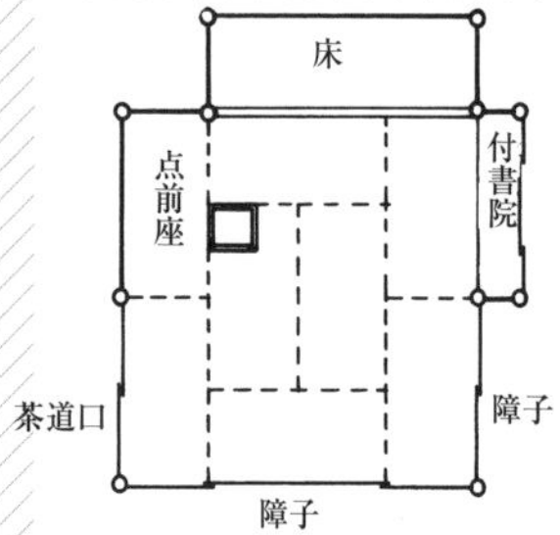

裏千家寒雲亭
urasenkekanuntei

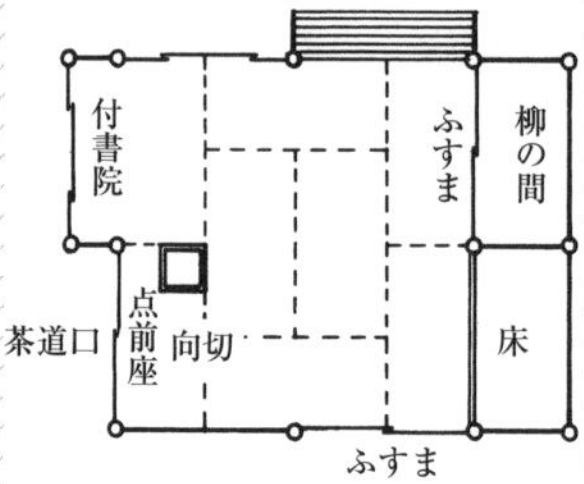

九畳茶席
kujouchaseki

松月斉
shougetsusai

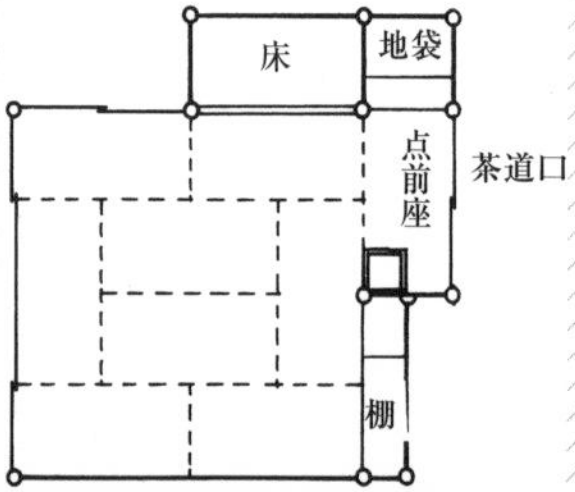

十畳茶席
juujouchaseki

表千家残月の間
omotesenkezangetsunoma

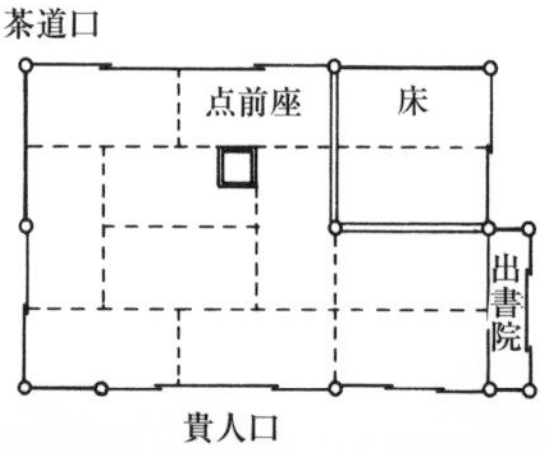

INDEX

図版引用出典一覧

神社仏閣図集1 神社建築編①
神社仏閣図集1 神社建築編②
神社仏閣図集1 寺院建築編
絵で見る建設図解事典4 木工事
絵で見る建設図解事典5 屋根・板金・左官工事
絵で見る建設図解事典6 建具・硝子工事
絵で見る建設図解事典8 雑工事(家具・階段)
絵で見る建設図解事典10 社寺・数寄屋
絵で見る工匠事典4 和風建築①
絵で見る工匠事典9 実用木工事③
全て、株式会社建築資料研究社 発行

図案の名称及び読み方は、時代や地域等により異なることがありますので
ご了承ください。

和の建築図案集

Design Parts Collection
In Japanese Traditional Style Architecture

発行日	2010年10月30日　初版第1刷
	2013年 4 月20日　　第4刷
発行人	馬場栄一
発行所	株式会社建築資料研究社
	171-0014
	東京都豊島区池袋2-68-1 日建サテライト館7階
	TEL.03-3986-3239 FAX.03-3987-3256
	http://www.ksknet.co.jp/book/

アドバイザー	東京大学教授 工学博士	
	藤井恵介	
編集	建築資料研究社 出版部	

デザイン	6D
	木住野彰悟・田上望
校正	舩木有紀
印刷所	大日本印刷株式会社

書籍購入に関するお問い合わせ
TEL.03-3986-3239　FAX.03-3987-3256
内容に関するお問い合わせ
publicat@to.ksknet.co.jp

ISBN978-4-86358-080-0